Marc Chagall

Marc Chagall

Rétrospective de l'œuvre peint

7 juillet - 15 octobre 1984

Fondation Maeght

06570 Saint-Paul

© Fondation Maeght, 1984
ISBN 2-900923-04-2

Sommaire

Introduction

Par son pouvoir de conteur unique dans l'art moderne, Marc Chagall occupe une place essentielle et particulière dans la peinture de ce siècle qu'il perpétue, pour notre joie, de son regard aigu et lucide. Pour ce créateur qui s'affirme dans la continuité d'une vie qui requiert sans cesse l'attention de notre regard émerveillé, toute son œuvre prend naissance dans un monde aujourd'hui apparemment oublié mais qui justifie les paroles de son ami Georges Braque parlant de « l'art et son bruit de source ». De ce bruit de source qui résonne de sa terre natale, Marc Chagall pérennise des images qui surgissent à la jonction de cultures différentes et à la rupture de deux civilisations dont il a su maintenir l'individualité.

Tout grand artiste est marginal, mais il doit préserver son originalité par une inspiration sans cesse renouvelée. Il y puise l'essentiel afin de maintenir des souvenirs qui n'appartiennent qu'à lui et par là même nous les faire partager grâce à un nouveau langage. La Bible, le cirque, les amoureux, les fleurs, tout parle de ses rencontres et de ses origines dans des images éblouissantes qui font désormais partie de notre univers. A une époque où tout semble se déliter et se détruire il assume son propre monde, parcours peu commun dans un siècle où tout a été tenté et souvent abandonné. Par cette fidélité il se révèle un jalon essentiel dans la tradition d'un art dont il est le garant de la modernité. Le langage de Marc Chagall s'inscrit dans le monde contemporain et son œuvre demeure, plus qu'hier, empreinte d'une actualité que l'on oublie parfois et dont tous les jeunes créateurs sont aujourd'hui les témoins attentifs.

Par l'embrasement de la couleur, il nous propose de façon magique la vision d'un monde à la fois banal et fabuleux auquel nous sommes confrontés, déterminé qu'il est depuis bientôt un siècle à nous faire partager ses rêves les plus secrets. Dans un univers mécanisé d'où la poésie semble exclue, il étonne par son imagination et la vitalité qu'il imprime à toute son œuvre. Le regard du spectateur reste toujours en éveil car Marc Chagall confronte sans cesse sa peinture au risque ; ce risque que nous ressentons tous c'est celui que doit courir tout créateur, et il est vrai qu'il le conforte souvent par l'inattendu. L'inattendu, c'est bien sûr le déséquilibre apparent de la composition ou des personnages qui donnent une lecture si singulière à sa peinture, mais c'est également le phénomène de la couleur et de la matière, intimement reliées et unies dans un brassage de formes intenses. La chimie dont il nous parle si souvent résulte sans aucun doute de cet amalgame des formes et des pigments et de la liberté qu'il impose à tout être et à toute chose.

Marc Chagall insuffle à son œuvre la vie, sa propre vie, élément essentiel du message que le peintre doit nécessairement transmettre et tenter, si cela se peut, de saisir le temps venu l'inaccessible, l'inaccessible accueillant le rêve en le métamorphosant. Cette démarche poétique côtoie cependant avec force le quotidien qu'il nous propose comme l'un des principes indispensables à notre survie. Il ne nous conte pas uniquement ses rêves, il nous parle également avec audace du monde difficile et parfois tragique dans lequel nous vivons, n'oubliant pas en cela qu'il fut le témoin des drames qui ont ébranlé l'Europe. L'exode et la guerre ont profondément bouleversé sa vie mais il veut croire que tout peut être surmonté par nos convictions et que l'homme doit rester, malgré ses nombreuses épreuves, vigilant à l'aube d'un bonheur nouveau.

« Un accident heureux n'est qu'un chef-d'œuvre accidentel : le style ne fait pas le génie par son passage furtif, mais par son élaboration opiniâtrement poursuivie, car le génie vit de ce qu'il annexe, non de ce qu'il rencontre » écrit André Malraux dans *Les Voix du silence*. Tout cela, Marc Chagall le ressent intuitivement, lui qui poursuit inlassablement dans des thèmes opposés mais pourtant si proches la recherche d'un absolu qu'il sait toujours lointain et éphémère.

Marc Chagall fête en cette année 1984 son quatre-vingt-dix-septième anniversaire. Nous sommes heureux de l'accueillir dans cette Fondation créée il y a vingt ans par Marguerite et Aimé Maeght, dont il fut un très grand ami, tout près de son lieu de travail et dans ce pays où il a choisi de vivre. Nous tenons à témoigner à Marc et Vava

Chagall notre reconnaissance et notre profond attachement pour l'aide si attentive et généreuse qu'ils nous ont apportée, ainsi qu'à Ida Chagall qui nous a toujours offert, avec compréhension, son très amical soutien. Qu'ils trouvent ici avec les nombreux collectionneurs et les directeurs de musées qui ont accepté de se séparer d'œuvres importantes l'expression de notre vive gratitude. Qu'ils soient tous assurés de nos sincères remerciements.

Jean-Louis Prat
Directeur de la Fondation Maeght

Gilbert Lascault

La joie de la peinture

Le couple volant et le soldat boit

Ici et maintenant, dans le monde de Chagall, le violoniste au visage vert joue un air de danse, debout sur les toits de deux maisons, pendant qu'une échelle est posée contre un arbre dénudé et qu'un petit cheval se dresse sur ses pattes de derrière pour mieux écouter le son du violon. Ici et maintenant, la mariée géante, son enfant nu dans les bras, flotte au-dessus de la ville, et son époux plonge du haut du ciel pour l'embrasser. Ici et maintenant, le peintre a sept doigts afin de mieux peindre. Ici et maintenant, le colporteur barbu marche dans le ciel au-dessus de Vitebsk couvert de neige. Ici, le poète écrit ; il est plus inspiré lorsque l'un de ses yeux est fermé et l'autre ouvert, lorsque son visage est à l'envers (le front reposant sur le cou), lorsqu'un chat vert et rose lui lèche le coude et qu'une sorte de bouteille cubique oublie la verticalité. Ici et maintenant, les maisons rouges préfèrent l'oblique et les chevaux à crinière verte mangent des navets en souriant. Ici, une vache agenouillée joue du violon près d'un rabbin mélancolique. Ici, pour les violonistes, la route courbe est toujours le chemin le plus court d'une danse à une autre. Ici, le rabbin (qui tient d'une main un citron et de l'autre une palme) porte sur sa tête son double en taille réduite. Ici et maintenant, lorsque le soldat boit, il voit son double lutiné par une servante ; et sa casquette s'élève au-dessus de sa tête. Ici et maintenant, dans une brume bleue, la femme la plus belle est amoureuse du coq géant. Ici et maintenant, le ventre transparent de la vache permet de voir le veau à naître et le ventre transparent de la femme laisse voir l'enfant non encore né. Ici et maintenant, dans le monde de Chagall, l'avant et l'arrière, le haut et le bas, le proche et le lointain, le grand et le petit cessent d'avoir un sens précis. Ici et maintenant, tout a tendance à flotter dans le ciel. La loi de la pesanteur ne s'exerce que de temps en temps, comme ça lui chante. Ici, les corps obéissent souvent à ces «règles des mirages» qu'évoquait Eluard dans son poème dédié à Chagall, publié en 1947 : une physique différente, une autre logique sont nécessaires à l'intérieur de ce monde. Ici, lorsqu'un âne marche dans le ciel, portant une femme couchée sur son dos, une terre apparaît au-dessus d'eux. Ici, les maisons dansent, on se marie, on vole, on fleurit, on naît, on meurt, on boit, on prie, on perd sa tête et on la retrouve, on marche sur la tête. Ici et maintenant, les anges sont fascinés par les jeux du cirque et par les caresses des amants. Ici et maintenant, on ne tient rien, on ne possède rien, on ne s'installe sur rien. Le chandelier flotte à côté de la main et la lévitation est la chose du monde la mieux partagée. Ici les têtes poussent sur les toits et les bouquets au bout des mains. Ici et maintenant, la tour Eiffel est un monument dédié aux femmes volantes et aux amants heureux. Ici et maintenant, l'espace se transforme, pendant que des métamorphoses s'y produisent : il se courbe ; il est agité par des souffles ; il éclate parfois en zones hétérogènes. Il échappe à toute mesure et n'accepte comme logique que celle des rythmes et des couleurs.

Ici et maintenant

Dans les tableaux de Chagall, tout a lieu ici et maintenant. Il n'y a nul arrière-monde, nul symbolisme. Il ne faut rien chercher derrière le tableau. Tout est donné. Tout est actuel. Tout s'organise et se métamorphose sur la surface de la toile. Et ceux qui veulent interpréter le tableau se trompent et passent à côté de l'émotion intense que peut provoquer l'œuvre. A Paris, avant la guerre de 1914, Chagall dit à Lounatcharsky : « Surtout ne me demandez pas pourquoi j'ai peint en bleu et en vert, et pourquoi un veau se voit dans le ventre de la vache ». Il se méfie de tout discours qui voudrait expliquer une œuvre, de toute peinture aussi qui voudrait véhiculer un discours : « Si on parle de littérature dans l'art, on ne comprend ni la peinture ni la littérature ». Lui qui n'aime guère parler, lui qui répond aux questions longues par des phrases simples et brèves, il ne cesse de mettre en garde ses interlocuteurs, avec une ferme gentillesse, contre la volonté d'expliquer trop vite la présence dans le tableau de telle ou telle figure. Il se méfie de ceux qui prétendent savoir ce que le tableau « veut dire ». Il n'aime pas les œuvres sans énigme : « Les tableaux qui s'expliquent tout de suite, c'est de la littérature ». Devant certaines interprétations, il se montre à la fois courtois et réservé : « Comme vous voulez. Vous avez peut-être raison, mais cela m'échappe vraiment... ». Il souhaite que les spectateurs soient le plus possible attentifs aux sensations, aux désirs, aux passions qui sont les leurs devant la toile peinte. Il résiste aux pédagogues et leur préfère ses élans. « On ne peut pas (dit-il) m'instruire. Ce n'est pas pour rien que j'étais déjà un mauvais élève de l'école communale. Je ne saisis rien que par mon instinct. »

Ni désordre, ni système

Certains peintres, bien sûr, peuvent peindre selon un système rigoureux, se soumettre à une implacable théorie, se méfier du jaillissement de la vie et du plaisir de peindre. D'autres refusent toute règle, cherchent constamment la rupture, l'excès, la transgression, s'efforcent de briser avec tout désir conscient d'ordonner le tableau. Marc Chagall ne choisit ni l'une ni l'autre de ces voies. Il sait que la liberté des pinceaux, le plaisir de vivre et de peindre ouvrent à l'artiste bien des possibilités. Il aime lier entre eux les contraires, comme en certains des mariages qui sont figurés dans ses toiles. Il préfère fusions, effusions, unions et accords aux exclusions et ostracismes. Il veut lier le goût intense de la spontanéité et le désir de construire et d'organiser la surface peinte : « Ce qui naît spontanément (dit-il à André Verdet) trouve son ordre de construction dans l'architecture de mes toiles. Mais spontanéité ne veut pas dire automatisme ». Il s'agit pour lui, dans chaque tableau, d'inventer une « construction », d'éviter à la fois l'illustration, l'application de recettes usées et le chaos.

Pour comprendre la position de Marc Chagall (singulièrement subtile), il est nécessaire à la fois de regarder longtemps et souvent ses tableaux et de voir comment il transforme la célèbre définition que Maurice Denis, en 1890, donnait de la peinture : « Se rappeler qu'un tableau — avant d'être un cheval de bataille, une femme nue, ou une quelconque anecdote — est essentiellement une surface plane recouverte de couleurs en un certain ordre assemblées ». Cette définition, Marc Chagall la reprend et la métamorphose, avec la même liberté avec laquelle, dans ses œuvres, il métamorphose les coqs, les femmes et les clochers. « Un tableau (dit-il) est une surface couverte avec des représentations de choses (objets, animaux, formes humaines) dans un certain ordre, dans lequel la logique et l'illustration n'ont aucune importance. » Il pense que le peintre ne doit avoir affaire ni avec les choses elles-mêmes, ni avec les couleurs isolées. Bien sûr, il aime les couleurs, la merveilleuse « chimie » des grands artistes (et en particulier de Monet), mais, selon lui, « en art, il n'existe pas de forme, de couleur à part » ; il n'existe pas non plus de sujet (cheval de bataille, femme nue) indépendant de sa figuration. D'emblée, le peintre organise entre elles des formes colorées qui sont des anges, des femmes sensuelles, des fleurs, des verres de vin, des animaux géants, des prophètes, des maisons à l'endroit ou à l'envers... Chagall déteste les scolastiques qui isolent et opposent les éléments qui constituent « les représentations de choses ». Les figures trouvent leur place dans l'œuvre, se rencontrent, parfois se fondent les unes dans les autres (mais non pas n'importe comment), lorsque des visages naissent des toits, lorsqu'une main est donnée au poisson volant pour lui permettre de jouer du violon...

De la définition de Maurice Denis, Chagall conserve deux mots importants : celui de « surface », celui d'« ordre », et il en modifie le sens. Il insiste sur la surface du tableau, mais il souhaite qu'à travers elle « une mystérieuse quatrième ou cinquième dimension — peut-être non seulement de l'œil » se laisse percevoir et (dit Marc Chagall) « donne naissance, intuitivement, à une balance de contrastes plastiques et psychiques ». Quant à l'ordre qui se crée dans le tableau, il s'oppose à la fois à ce que le peintre nomme « la logique », c'est-à-dire les raisonnements habituels, et à ce qu'il appelle « l'illustration », c'est-à-dire les narrations académiques. L'ordre des « représentations de choses » dans le tableau renvoie sans doute à des logiques inouïes et à de nouvelles façons de conter.

Une histoire qui voulait être racontée...

Les tableaux de Marc Chagall sont parfois liés à de grands récits et en particulier à ceux de l'Ancien Testament : Adam et Ève sont chassés du Paradis ; blanc sur le fond bleu où paît un troupeau, Moïse regarde le buisson ardent ; David et Bethsabée s'aiment. Au moins aussi souvent, il s'y conte des histoires effilochées, interrompues, qui se croisent, se mêlent. Un arbre-flamme surgit derrière un toit, pendant qu'une lune orange se repose sur le toit d'une autre maison, petite comme un homme

1   La kermesse, 1908

2 *Autoportrait aux pinceaux, 1909*

debout ; pendant que, doux et tendre, un amant caresse de sa joue les seins nus de la bien-aimée ; pendant qu'un palefrenier court dans le ciel noir, un fouet à la main, à la recherche d'un cheval invisible ; pendant qu'un étrange être bleu, à la fois poisson, oiseau et bœuf, frôle un immense oiseau blanc et un autre rouge... Ou bien, tandis qu'une mariée acrobate se repose sur son trapèze, tandis qu'une écuyère enfant, rousse, monte sur un grand cheval qui tourne sur un toit, un ange colporteur à tête de coq porte sur son bras vert une pendule souple...

Chagall est né et a vécu sa jeunesse à Vitebsk, où a existé très tôt une communauté de hassidim, de juifs fervents. D'après Franz Meyer, les parents du peintre étaient des hassidim. Franz Meyer signale aussi que les disciples du hassid Abraham Kalisker, au cours d'une sorte de prédication, faisaient « des sauts périlleux dans les rues et sur les places, se livraient à des farces ». Ils se voulaient en quelque sorte des fous de Dieu, des acrobates spirituels, des clowns mystiques et F. Meyer les rapproche des clowns acrobates de Chagall...

On peut penser que les tableaux de Chagall s'organisent en partie comme les historiettes et contes que l'enseignement hassidique préfère aux raisonnements et démonstrations. Ils ressemblent (par leur ordre apparemment décousu, par leur chatoiement, par les surprises qu'ils réservent) aux histoires que raconte, par exemple, un rabin de la fin du 18e siècle. Ces récits (selon Elie Wiesel) multiplient les personnages qui se quittent sans cesse, sans raison, pour se cacher derrière d'autres ; qui racontent à leur tour de nouveaux récits avec de nouveaux personnages... « Ils montrent les pouvoirs d'un homme démuni qui sait pourtant faire rire la forêt, les animaux et les vents du matin... Chaque fragment de ces histoires contient le tout et le menace... La condition humaine, faite d'interrogations, est traduite par son éclatement même... Si le conteur d'histoires resserre les événements épisodiques et laisse flotter le canevas, c'est qu'il préfère l'infiniment petit à l'infini, les soubresauts d'une vie à une vie sans surprise. » Il s'attarde (dit encore Elie Wiesel) sur les épisodes secondaires, sur le rire d'un badaud, sur la couleur d'un nuage et semble oublier le fil de l'histoire ; il l'interrompt et la recoud ; parfois il ne la termine jamais et paraît se désintéresser de ses personnages principaux...

Ce sont histoires qui demandent toute l'attention de qui les écoute, histoires qui le surprennent et l'émeuvent. « A en croire les gens (disait le conteur), les histoires sont faites pour endormir ; moi, j'en raconte pour réveiller. » Chagall peint ses tableaux pour réveiller, pour surprendre. Sur ses toiles, les changements brutaux d'échelle, l'utilisation de perspectives différentes viennent nous désorienter. Sans se soucier des règles habituelles de composition, les figures s'agglomèrent en certains lieux du tableau, tandis que d'autres demeurent vides. Des lettres (parfois hébraïques) apparaissent sur la représentation d'un porche ou sur l'étrange roue de l'*Hommage à Apollinaire* ; mais elles n'expliquent rien et compliquent tout. De multiples signes surgissent dans les œuvres, sans jamais être traduits. Nulle peinture actuelle, sans doute, n'est aussi hostile au symbolisme. Nulle n'est aussi énigmatique. Ce sont des histoires (non des sermons ou des démonstrations) qui sont évoquées ici. Et l'on se souviendra d'une phrase d'un autre mystique qui longtemps avait couru le monde comme scribe, marchand de bois et apothicaire : «Un jour il y avait une histoire qui voulait être racontée». Car dans cet univers, les narrations existent avant d'être dites, avant d'être peintes. Elles sont plus fortes que le conteur. Elles le guident...

Le particulier et l'universel

Consciemment ou non, Marc Chagall retrouve ainsi, dans ses tableaux, un style de récit utilisé par des rabbins assez peu connus de son lointain pays d'origine : style qui refuse toute rhétorique lourde, qui allie à une ferveur mystique l'humour et le goût des anecdotes précises, des détails exacts, des digressions heureuses. Ce style préfère toujours le détour à la ligne droite, le prodige à la banalité, les sauts aux explications lentes, la simplicité aux mouvements oratoires, les flottements subtils aux affirmations péremptoires. C'est le tourbillon de la vie qu'essaient de retrouver ces récits et la peinture de Chagall. «Je tâche (dit le peintre à André Verdet) d'être la vie même. C'est la vie qui manœuvre, qui bouge sur la toile, mais sans un thème exact. »

On le voit. Tout se passe comme si, pour atteindre l'universel, pour permettre en quelque sorte à la vie de se peindre elle-même, le peintre était amené à être fidèle au plus particulier, à sa terre, à la culture d'un quartier de sa ville natale. Tout se passe comme si les révolutions du récit et de la peinture trouvaient quelques-unes de leurs sources dans des tentatives longtemps à demi cachées ou à demi oubliées, nées dans de petits groupes mystiques, minoritaires à l'intérieur d'une culture elle-même déjà

4   *Le violoniste, 1911*

5   *La naissance, 1911*

minoritaire dans le pays où elle se situe. Tout se passe comme si (au moins chez certains créateurs) l'invention supposait non pas la rupture avec les traditions dominantes, mais leur oubli; comme si, contre tout académisme, l'artiste pouvait trouver un recours dans l'attachement à ses origines populaires, aux histoires qui se racontent dans les rues de son quartier, aux gestes qu'on y voit, aux événements qui s'y passent. «Je fais mon travail (confie-t-il) comme je l'ai reçu en héritage de mes parents depuis des milliers d'années... Si ma peinture ne jouait pas de rôle dans l'existence de mes parents, en revanche leur vie, leurs gestes ont bien influencé mon art.» Il dit encore : «Oui, je sens souvent la présence du peuple très près, sans doute parce que je suis moi-même du peuple.»

Cet enracinement, bien sûr, n'interdit pas au peintre de s'ouvrir au monde, de faire rimer Vitebsk et Paris, d'inventer des formes à New York et Jérusalem, d'aimer (entre autres) Cimabue, Fra Angelico, Masaccio, Paolo Uccello, Watteau, Monet...

Les prodiges tout naturels

Cet enracinement amène Marc Chagall à vivre parmi les prodiges, à les figurer, tout naturellement. Il s'en étonne, oui, mais comme il s'étonne de toute chose, comme il est surpris de toute chose, comme il aime toute chose. Pour lui, une tête qui vole au-dessus d'un corps n'est guère plus étonnante que la splendeur d'un bouquet. S'il est merveilleux qu'un petit veau se développe dans le ventre de la vache, il est à peine plus extraordinaire que ce ventre devienne transparent et permette de voir le veau non encore né. L'amour entre un homme et une femme est une telle merveille qu'il est tout à fait normal de voir le couple heureux s'élever dans le ciel. Il y a un naturel dans les prodiges peints par Chagall et de ce naturel il est conscient : «Si on trouve le fantastique dans ma peinture, je ne suis pourtant pas un peintre fantasque. Je n'oublie jamais la terre où je suis né».

On trouve dans les récits hassidiques (ceux par exemple réunis par Martin Buber) la même familiarité avec l'extraordinaire, le même accord aisé entre le quotidien et le miraculeux. Pendant une extase, le Baal-Shem-Tov (1700-1760), le Maître du Bon Nom, ne s'aperçoit pas qu'il approche d'un abîme. Au moment où il avance le pied, d'un bond la montagne d'en face s'approche et se serre contre sa voisine pour permettre au Baal-Shem de passer... Ou bien, pendant sa prière, «l'eau d'une auge, habitée par un tremblement, tressaillait, bouillonnait et faisait des vagues » : cette auge est peut-être semblable à celle que peint Marc Chagall en 1925, à celle qui constitue son premier souvenir d'enfance et qu'il évoque dans la première ligne de *Ma vie*, son livre rédigé pendant la guerre de 1914-1918... Ou encore, lorsqu'un rabbin mystique meurt en 1825, son cercueil vole jusqu'en Palestine, entouré d'un cortège de milliers d'âmes... Ou aussi, lorsque le voyant de Lublin s'absentait de sa chambre, ses vêtements chuchotaient et parlaient de sa grandeur... Les tableaux de Marc Chagall évoquent bien souvent des merveilles proches de ces montagnes qui bondissent, de ces vêtements bavards, de ces eaux qui bouillonnent, de ces cercueils volants.

Dans *Ma vie* où il raconte son enfance et sa jeunesse, Marc Chagall ne cesse de nous faire voir des prodiges familiers où les rêves et la vie quotidienne se fondent. Son père lui apparaît comme source de lumière: «Ses vêtements luisaient parfois de la saumure des harengs. Au-delà tombaient des reflets d'en haut, par côtés ». Ou bien, il imagine, dans la maison de son grand-père, des vaches dans le ciel: «Dans l'obscurité des nuits, il me semblait que ce n'étaient pas seulement les odeurs, mais tout un troupeau du bonheur, crevant les planches, volant dans l'espace ». Ou aussi, il a la vision d'un ange et (comme l'a dit le poète Rainer Maria Rilke) tout ange est terrible. «Soudain (écrit Chagall) le plafond s'ouvre et un être ailé descend avec éclat et fracas, emplissant la chambre de mouvement et de nuages. Un frou-frou d'ailes traînées. Je pense: un ange! Je ne peux pas ouvrir les yeux. Il fait trop clair, trop lumineux. » Ou bien il voit le grand-père qui, assis sur son toit, mange des carottes. Ou encore, lorsqu'il entend, enfant, un chant de noces, «sa tête se détache doucement du corps et pleure quelque part près des cuisines où se préparent les poissons ».

Le drame dans les fleurs

En un tel univers, le drame, le malheur ne sont pas absents. Il y a des guerres, des persécutions, des deuils. Le peintre parfois rêve d'offrir les lieux qu'il peint comme lieux de refuge, espace de liberté aux persécutés. «J'avais envie (dit-il) de les

6   *Nature morte, 1911*

faire transporter sur mes toiles, pour les mettre en sûreté». S'il crée des espaces heureux, il ne veut pas oublier les malheurs et violences. Contrairement à d'autres artistes du xxᵉ siècle, il n'oppose pas la peinture et le tragique. Même les fleurs ne peuvent jamais être pour lui un élément purement décoratif, un pur jeu de couleurs. Elles sont liées au tragique: «On ne pourrait pas se passer de fleurs. Les fleurs font oublier (dit-il) un moment le drame, mais elles peuvent aussi le refléter. La vie et les événements prennent souvent un air tragique comme certains bouquets».

Il convient sans doute, comme l'affirme un des théologiens imaginaires inventés par le poète Edmond Jabès, de vivre (non sans souffrance parfois) la proximité de la douleur et de la joie: «La douleur et la joie sont des couples terribles. Dans toute joie, il y a un étang d'amertume; dans toute douleur, il y a un coin de jardin de joie». La joie ne vient pas seulement après la peine. Elle l'accompagne souvent et se mêle à elle.

Le tableau parmi les arbres

Pourtant, les œuvres de Marc Chagall sont plutôt du côté de la joie que du côté du malheur. Elles ont un goût intense d'amour et de bonheur. Elles sont l'éloge de la nudité de la femme, de la splendeur de la lumière, de l'éclat des fleurs et des animaux. Elles chantent la force des amours, les fusions, les noces, les réconciliations et accords. Elles évoquent le mariage de l'homme et de la femme, celui de la terre et du ciel, les liens aussi qui s'établissent entre les humains et les bêtes. Car, dit Chagall, «dans ma peinture, le rapprochement entre les hommes et les animaux n'est pas fortuit et il n'est pas un simple besoin pictural, esthétique».

La toile que peint Marc Chagall est le lieu où s'organisent des échanges, où se tissent des liens, où les mariages heureux se réalisent, où les dissonances existent parfois, mais deviennent les éléments d'une unité vivante. Les différences ne sont pas abolies, mais contribuent à la richesse, à la complexité de l'ensemble. Parfois les œuvres insistent sur les liens évidents entre les êtres. Parfois elles suggèrent des relations plus secrètes, mystérieuses même pour celui qui les peint: entre un couple amoureux et un samovar, entre une bougie géante et le ciel où plane un ange musicien, entre un cheval bleu et un chandelier...

Chagall ne cesse de peindre des ententes, des fiançailles, des unions. Et les tableaux qu'il aime sont ceux qui sont en accord avec la nature, qui ne perturberaient pas le paysage où on les placerait, qui ne lui nuiraient pas. Il imagine, à ce propos, une étrange expérience : «Plantez un tableau dans la nature parmi les arbres, les arbustes, les fleurs. Le tableau doit tenir. Il ne doit pas être la fausse note. Il doit s'accorder, prolonger la nature. S'accorder, aussi inventé, illogique qu'il paraisse ». Ici le peintre apprend à travailler comme la nature. Il cherche à inventer des œuvres qui ne soient pas des étrangetés au milieu des arbres, fleurs et ruisseaux. Il crée pour rendre le monde plus varié, sans nuire aux sympathies entre les choses, aux alliances et harmonies. Il veut ajouter quelque chose à la nature, sans la perturber.

«Mais tous les jours sont beaux... »

Chagall, comme peintre, ressemble à ce personnage des récits juifs, qui favorise les rencontres : le marieur. Et il est le plus souvent du côté de la joie. L'un des chapitres de *Ma vie* commence par les mots : «Un beau jour (mais tous les jours sont beaux... » C'est au cours de ce chapitre que Chagall dit à sa mère la phrase : «Maman... je voudrais être peintre ».

Et il veut pouvoir peindre des jours tous plus beaux les uns que les autres, tous plus joyeux les uns que les autres. Il est le peintre de cette joie juive que l'on oublie trop souvent pour ne parler que de l'angoisse. Il serait d'accord sans doute avec Sigmund Freud qui, le 23 juillet 1882, fait à sa fiancée l'éloge des plaisirs : «La loi prescrit au juif de prendre plaisir à la moindre jouissance, de prononcer la bénédiction devant chaque fruit qui rappelle les liens le rattachant au bel univers où ce fruit a mûri. Le juif est fait pour la joie et la joie est faite pour le juif ». Pour Chagall, l'obéissance aux désirs de Dieu passe par les plaisirs, par l'amour de l'univers, par la gourmandise, et non pas par l'ascétisme.

Dans la Bible, Marc Chagall trouve une exaltation de l'amour et de la joie. «Les grandes eaux (est-il écrit dans le *Cantique des cantiques*) ne pourront éteindre l'amour / ni les fleuves le submerger. » Une femme y est décrite, qui ressemble aux femmes que peint Marc Chagall : «Ton nombril forme une coupe, / où le vin ne

7   *La fiancée à l'éventail, 1911*

manque pas. / Ton ventre est un monceau de froment, / de lis environné. / Tes deux seins ressemblent à deux faons, / jumeaux d'une gazelle. / Ton cou, une tour d'ivoire. / (...) / Un roi est pris à tes boucles». Bien des tableaux de Chagall pourraient illustrer les *Dialogues d'amour* (1535) d'Abravanel : «L'amour est un esprit vivant qui pénètre tout le monde et un lien avec lequel tout l'univers est uni et lié».

Dans ses tableaux, hommes, femmes, animaux, chandeliers et maisons dansent. «Et si ta joie monte jusqu'au chant et à la danse (écrit au XIIe siècle le philosophe juif espagnol Judah Halevi), c'est encore là le service de Dieu et l'attachement à l'esprit du Seigneur...» Devant l'arche de Dieu qui entre dans sa ville, David danse en tournoyant. Le *Psaume 150* recommande de louer Dieu «par la harpe et la cithare, par la danse et le tambour.» Les rabbins hassidiques dansent et chantent énormément. Ils sautent parfois sur la table pour mieux danser : sur une table semblable à celle sur laquelle (dans un tableau de Chagall) Lénine est monté et se tient en équilibre sur une seule main... L'un d'eux danse si bien qu'un disciple affirme : «Ses pieds font à chaque pas un acte d'union avec Dieu». Un autre danse pour demander à Dieu la guérison d'un ami : «Cette danse était d'une force extraordinaire et chaque pas touchait un mystère puissant. Une lumière inconnue brilla dans la maison et l'on voyait aussi danser les cohortes célestes...»

La peinture vole, la peinture danse

On peut sans doute lire chaque tableau de Marc Chagall de multiples façons. Nulle œuvre n'est moins dogmatique, moins prisonnière d'intentions symboliques. Chaque tableau accroît la liberté de celui qui la regarde. L'une des lectures possibles de ces œuvres (qui n'exclut pas les autres, mais s'ajoute à elles) les verrait comme les emblèmes dispersés de l'acte de peindre, comme une incitation à comprendre la peinture en dehors des théories et des seules analyses techniques.

Ici et maintenant, la peinture est façon de planer. Elle est manière d'aimer et de jouir dans l'amour. La peinture est danse, tourbillon des pinceaux, ronde des couleurs. Elle mêle et harmonise les différences, tel l'hermaphrodite de l'*Hommage à Apollinaire*. La peinture s'assied sur les toits. La peinture marche dans le ciel au-dessus du village. La peinture joue du violon. La peinture est le violon. La peinture est l'amante qui enlace l'amoureux; elle est l'amoureux qui sourit à l'amante. Et les gestes du peintre, quand il caresse la toile, ne sont guère différents de ceux avec lesquels il caresse le corps de son aimée. La peinture est l'amant sur les épaules de celle qui l'aime, tous deux formant une sorte de pont entre la terre et le ciel. Elle se prépare à surgir comme l'enfant encore dans le ventre de la femme, comme le veau dans le ventre de la vache. Elle est aussi comme la future mère et organise des surgissements (de formes, de sensations, de sentiments, de plaisirs). La peinture est le clown qui nous fait éclater de rire et le rabbin qui prie, un citron à la main. Acrobate sur son trapèze, elle prend des risques. Ecuyère debout sur son cheval, elle aime la grâce. Elle a la violence de l'incendie dans le bourg. Elle veut nous saouler comme le vin que boit le soldat, comme le parfum du bouquet que tient la fiancée : car la peinture est ivresse. Elle est le risque et elle est le refuge. Elle est la musique de Mozart et le chant hassidique. Comme le colporteur qui marche de village en village, elle organise les échanges et se veut libre et nomade. La peinture fait simultanément l'ange et la bête. Elle est d'autant plus sensuelle qu'elle est ange; d'autant plus hantée par le divin qu'elle est coq ou cheval. La peinture ne cesse de perdre la tête et de la retrouver plus belle qu'avant la perte. Elle bondit comme les animaux et frémit, presque immobile, comme les fleurs sous un vent léger. La peinture est l'éblouissement de soleil et la danse des planètes. Elle est la nuit transfigurée et l'aube transparente.

Gilbert Lascault

9   A la Russie, aux ânes et aux autres, 1911-12

La chambre jaune se distingue des toiles précédentes par sa construction colorée... Pour la première fois, la couleur dominante devient un véritable élément, envahissant de son dynamisme propre, un mouvement de flux et de reflux, les moindres parties de la toile. Le ton verdâtre rompu du plancher et du mur autour de la porte sert d'ombre au jaune ; le rouge bordeaux de la chaise et du paysage fournit le contraste complémentaire, et le blanc touché de bleu du samovar luit comme un coquillage bizarrement froid dans cet océan de lumière vitale. Le fait que cet objet central soit le ton le plus froid, et le plus chaud le paysage extérieur, contribue à l'étrange atmosphère du tableau.

Extrait de *Marc Chagall* par Franz Meyer. Editions Flammarion. Paris, 1964.

3   La chambre jaune, 1911

Pour moi l'art ne fut jamais une profession. Si tu es peintre, tu peux mettre la tête en bas et tu resteras peintre. Pour faire une bonne peinture et une bonne céramique, il suffit d'avoir un bon caractère. Tel peuple, tel roi dit le proverbe; tel caractère, telle peinture. La couleur de Renoir, c'est son caractère propre. La couleur qu'on apprend, celle qui n'est pas inspirée est celle de l'académisme. Il y a un seul moyen d'approcher un peintre, la couleur. Qu'il la montre. Le primordial, c'est sa palette. Aujourd'hui on vit dans une forêt. Tout est littéraire, dans l'abstraction comme dans le réalisme.

M.C.

8 *Le poète* ou *Half Past Three, 1911*

L'*Hommage à Apollinaire* est l'un des tableaux les plus beaux et les plus mystérieux de Chagall. Jamais le rythme des formes et le rayonnement des couleurs n'avaient abouti jusqu'alors à cette unité merveilleuse et comme ailée. L'œuvre s'épanouit sous nos yeux telle une rose de lumière : merveille radieuse, énigme délicate.

Extrait de *Chagall* par Franz Meyer. Editions Flammarion. Paris, 1964.

10   Hommage à Apollinaire, 1911-12

11   *Le poète Mazin, 1911-12*

15   *Le marchand de journaux, 1914*

Avec *Le Soldat boit* l'influence du cubisme joue dans la libération des divers éléments du tableau, il en résulte une volonté de mouvement, un rythme nouveau et une perspective imprévue. La casquette en l'air au-dessus du soldat, comme la tête séparée du corps du personnage dans *L'homme ivre* ou dans *A la Russie, aux ânes et aux autres* est destinée à donner une impression d'espace, l'effet d'aspiration de l'air. On remarque au premier plan de petits personnages dansant du même mouvement, projetés à une échelle différente. On trouve dans tous les tableaux de cette époque des détails parfois beaucoup plus légèrement indiqués, mais aussi précieux; dans les à-plats de couleurs s'estompent des objets où se reflètent des petites figures. Chacun de ces détails a son prix et sa signification plastique constructive.

Extrait de *Chagall* par Jacques Lassaigne. Maeght Editeur. Paris, 1957.

12   Le soldat boit, 1912

Le tableau a été exécuté à la Ruche. J'étais en pleine forme à ce moment-là. Je crois bien que je l'ai peint en une semaine. C'est mon tableau «A la Russie, aux ânes et aux autres» qui est sur le chevalet. J'étais influencé par la construction des cubistes mais sans renier mon inspiration antérieure. Pourquoi sept doigts? Pour introduire une autre construction, un élément fantastique à côté des éléments réalistes. La dissonance ajoute à l'effet psychique. Le texte en caractères hébraïques: Russie-Paris, n'est qu'un élément plastique.

M.C.

13   *L'autoportrait aux sept doigts, 1912-13*

J'ai toujours considéré les clowns, les acrobates et les acteurs comme des êtres tragiquement humains qui ressembleraient, pour moi, aux personnages de certaines peintures religieuses.

Et même aujourd'hui, quand je peins une Crucifixion ou un autre tableau religieux, je ressens presque les mêmes sensations que j'éprouvais en peignant les gens du cirque, et cependant, il n'y a rien de littéraire dans ces peintures et il est fort difficile d'expliquer pourquoi je trouve une ressemblance psycho-plastique entre ces deux genres de composition.

M.C.

16 *Acrobate, 1914*

14   *Au-dessus de Vitebsk, 1914*

17   *Jour de fête (Le rabbin au citron), 1914*

23   *Intérieur à la datcha, 1917*

22   *Intérieur aux fleurs, 1917*

18   *Le père*, 1914

19   *Portrait d'un juif en rose, 1914-15*

On s'est beaucoup moqué de ma peinture, surtout de mes tableaux aux têtes retournées. Ces reproches qu'on m'adressait ne visaient pas la traduction que je donnais aux formes. Toutes sortes de déterminations barbares n'ont-elles pas mis à la mode la déformation, l'interprétation plastique! Je n'ai rien fait pour éviter ces reproches. Bien au contraire. Je souriais, tristement sans doute, de la mesquinerie de mes juges. Mais j'avais quand même donné un sens à ma vie. Autour de moi, d'ailleurs, des impressionnistes aux cubistes, tous les peintres me semblaient trop «réalistes» si j'ose m'exprimer ainsi. A leur encontre, ce qui m'a toujours le plus tenté, c'est le côté invisible, soi-disant illogique de la forme et de l'esprit sans lequel la vérité extérieure pour moi n'est pas complète. Ceci ne signifie pas que je fasse appel au fantastique. L'art consciemment, volontairement fantastique, m'est étranger.

M.C.

20   N'importe où hors du monde, 1915

Quel beau, charmant et singulier tableau que *Le poète allongé* de 1915 (peint donc en Russie, tout de suite après le départ de Paris)! Le cheval et le porc, devant l'isba, évoquent Rousseau (que Chagall aime beaucoup), oui, mais le poète aux mains réunies comme celles des gisants des anciens sépulcres, sa tête sur son veston posé dans l'herbe, près de son chapeau, ses pieds en de fastueux souliers, tout cela, d'où est-ce venu, comment? Chagall s'est-il peint là en «poète», comme il fut dit? Je ne sais. Mais le visage, où il n'y a rien qui me propose une ressemblance, et la silhouette, me font songer à des photographies de Paul Éluard, ..., que Chagall ne devait rencontrer que dix ans plus tard, et qui, bien plus tard encore, allait trouver dans sa peinture une inspiration radieuse.

Extrait de *Chagall* par André Pieyre de Mandiargues. Maeght Editeur. Paris, 1974.

21 *Le poète allongé, 1915*

Dans ces coins en commun, avec des ouvriers et des marchands des quatre saisons pour voisins, il ne me restait qu'à m'allonger au bord de mon lit et à réfléchir sur moi-même. A quoi encore ? Et les rêves m'accablaient. Une chambre carrée, vide. Dans un angle, un seul lit et moi dessus. Il fait sombre.

Soudain, le plafond s'ouvre et un être ailé descend avec éclat et fracas, emplissant la chambre de mouvement et de nuages.

Un frou-frou d'ailes traînées.

Je pense : un ange ! Je ne peux pas ouvrir les yeux, il fait trop clair, trop lumineux.

Après avoir fureté partout, il s'élève et passe par la fente du plafond, emportant avec lui toute la lumière et l'air bleu.

De nouveau, il fait sombre. Je me réveille.

Mon tableau « L'Apparition » évoque ce rêve.

M.C.

84   *L'apparition, 1917*

27   *Paysage cubiste, 1918*

24   Les portes du cimetière, 1917

25 *Bella au col blanc, 1917*

26   Le violoniste vert, 1918

Guillaume Apollinaire

Rotsoge au peintre Chagall

Ton visage écarlate ton biplan transformable en hydroplan
Ta maison ronde où il nage un hareng saur
Il me faut la clef des paupières
Heureusement que nous avons vu M. Panado
Et nous sommes tranquilles de ce côté-là
Qu'est-ce que tu veux mon vieux M.D.
90 ou 324 un homme en l'air un veau qui regarde à travers le ventre de sa mère
J'ai cherché longtemps sur les routes
Tant d'yeux sont clos au bord des routes
Le vent fait pleurer les saussaies
Ouvre ouvre ouvre ouvre ouvre
Regarde mais regarde donc
Le vieux se lave les pieds dans la cuvette
Una volta ho inteso dire Ach du lieber Jott
Et je me pris à pleurer en me souvenant de nos enfances
Et toi tu me montres un violet épouvantable
Ce petit tableau où il y a une voiture m'a rappelé le jour
Un jour fait de morceaux mauves jaunes bleus verts et rouges
Où je m'en allais à la campagne avec une charmante cheminée tenant sa chienne en laisse
J'avais un mirliton que je n'aurais pas échangé contre un bâton de maréchal de France
Il n'y en a plus je n'ai plus mon petit mirliton
La cheminée fume loin de moi des cigarettes russes
Sa chienne aboie contre les lilas
Et la veilleuse consumée
Sur la robe ont chu des pétales
Deux anneaux d'or près des sandales
Au soleil se sont allumés
Tandis que tes cheveux sont comme le trolley
A travers l'Europe vêtue de petits feux multicolores

29   *Au-dessus de la ville, ca 1924*

Blaise Cendrars

Atelier

La Ruche
Escaliers, portes, escaliers
Et sa porte s'ouvre comme un journal
Couverte de cartes de visite
Puis elle se ferme
Désordre, on est en plein désordre
Des photographies de Léger, des photographies
          de Tobeen, qu'on ne voit pas
Et au dos
Au dos
Des œuvres frénétiques
Esquisses, dessins, des œuvres frénétiques
Et des tableaux...
Bouteilles vides
« Nous garantissons la pureté absolue de notre
          sauce tomate »
Dit une étiquette
La fenêtre est un almanach
Quand les grues gigantesques des éclairs
          vident les péniches du ciel à grand fracas et
          déversent des bannes de tonnerre
Il en tombe

Pêle-mêle

Des cosaques le Christ un soleil en décomposition
Des toits
Des somnambules des chèvres
Un lycanthrope

Pétrus Borel
La folie l'hiver
Un génie fendu comme une pêche
Lautréamont
Chagall
Pauvre gosse auprès de ma femme
Délectation morose
Les souliers sont éculés
Une vieille marmite pleine de chocolat
Une lampe qui se dédouble
Et mon ivresse quand je lui rends visite
Des bouteilles vides
Des bouteilles
Zina
(Nous avons beaucoup parlé d'elle)
Chagall
Chagall
Dans les échelles de la lumière

28   *La maison bleue, 1920*

La fenêtre constitue la limite entre le dedans et le dehors, l'ouverture dans le mur par laquelle le regard se risque dans le monde, mais que l'on peut aussi refermer pour se recueillir. Chagall n'aimait guère travailler dehors; mais ce ne sont pas seulement des raisons pratiques qui expliquent sa prédilection pour ce motif: il correspond à la situation même du peintre, qui n'accorde jamais tout le pouvoir au « dehors », mais cherche toujours à équilibrer le « dehors » et le « dedans ».

Extrait de *Marc Chagall* par Franz Meyer. Editions Flammarion. Paris, 1964.

30   *La fenêtre sur l'île de Bréhat, 1924*

Les fleurs ont aussi leur langage qui est celui de l'amour et des hymnes paradisiaques. «J'ouvrais seulement la fenêtre de ma chambre, raconte Chagall au moment de ses fiançailles, et l'air bleu, l'amour et les fleurs y pénétraient. » Toujours et partout, depuis ses débuts en Russie, il a peint les fleurs, incarnations de la couleur et messagères de l'amour. Mais il n'a eu, de son propre aveu, la pleine révélation de leur essence que sur le sol méditerranéen, dans le sud de la France d'abord, au printemps de 1926, en Grèce plus tard, en 1952 et en 1954. D'abord médiatrices du paysage, interposées sur la fenêtre — autre motif récurrent — entre l'espace proche et l'espace lointain, elles finissent par signifier le paysage même et s'unissant aux amoureux et aux figures volantes, trament l'espace entier de leurs effluves lumineux et des douces émotions qu'elles engendrent.

Extrait de *Marc Chagall* par Jean Leymarie. Grand Palais. Paris, 1969.

31   *Les amoureux aux lys, 1922-25*

33   *Moi et le village, 1923-26*

32   *Vie paysanne*, 1925

Seul est mien
Le pays qui se trouve dans mon âme.
J'y entre sans passeport
Comme chez moi.
Il voit ma tristesse
Et ma solitude.
Il m'endort
Et me couvre d'une pierre parfumée.

En moi fleurissent des jardins.
Mes fleurs sont inventées.
Les rues m'appartiennent
Mais il n'y a pas de maisons,
Elles ont été détruites dès l'enfance,
Les habitants vagabondent dans l'air
A la recherche d'un logis.
Ils habitent dans mon âme.

Voilà pourquoi je souris
Quand mon soleil brille à peine.
Ou je pleure
Comme une légère pluie
Dans la nuit.

Il fut un temps où j'avais deux têtes,
Il fut un temps où ces deux visages
Se couvraient d'une rosée amoureuse
Et fondaient comme le parfum d'une rose.

A présent il me semble
Que même quand je recule
Je vais en avant
Vers un haut portail
Derrière lequel s'étendent des murs
Où dorment des tonnerres éteints
Et des éclairs brisés.

Seul est mien
Le pays qui se trouve dans mon âme.

M.C.

34   *Pivoines et lilas, 1926*

Voir le monde à travers des bouquets! Des bouquets larges, monstrueux, aux profusions sonores, aux éclats obsédants. Ne le voir qu'à travers ces abondances ramassées au hasard des jardins, accordées nul ne sait comment et dans un naturel équilibre, quelle joie plus précieuse aurions-nous pu souhaiter!

Des fleurs de bonne compagnie qui se sont trouvé des rapports et créé de tardives et hasardeuses amitiés.

A travers cette somptueuse vie végétale, on regardera le monde, depuis l'oubli d'une médiocre enfance, le village ennobli des souvenirs émus, jusqu'à ces tendres détails qui font tout le prix des lentes découvertes sur les choses.

Extrait de *Marc Chagall* par Efstratios Tériade. Cahiers d'Art n° 6. Paris, 1926.

35 Les chrysanthèmes, 1926

Le coq, ainsi qu'il se doit, est viril, lumineux, solaire, ce qui ne l'empêche pas de paraître souvent dans des scènes nocturnes, où il est éblouissant à l'égal d'une flamme et brutal comme un cocorico lancé avant le lever du jour. Dans la plupart des premières représentations, telles que *Sur le coq*, de 1929, il se fait substitut du cheval pour emporter la femme ou la fille amoureuse vers le beau pays du plaisir...

Extrait de *Chagall* par André Pieyre de Mandiargues. Maeght Editeur. Paris, 1974.

37   Le coq, 1929

Le rêve est, en fait, une interprétation du thème de l'écuyère que l'on trouve traité de façon semblable dans *L'écuyère* du musée national de Prague et dans *Sur l'âne* d'une collection privée de Bâle. Ces tableaux, par leur style, s'inscrivent dans la suite Vollard mais il s'y ajoute ici un second thème d'ordre théâtral: le souvenir du conte de Lewis Caroll «Alice au pays des merveilles» qui s'exprime dans la pose de la jeune fille couchée à plat dos sur le dos d'un animal incertain, chèvre, âne ou lièvre, qui fait penser au «maître Jean» du conte.

Extrait de *Chagall et le théâtre* par Denis Milhau. Musée des Augustins. Toulouse, 1967.

36   Le rêve, 1927

Quel peintre exactement aurais-je voulu être ? Je ne dis pas : aurais-je pu être ? Très jeune je ne me figurais pas l'Art comme une profession, ni comme un métier ; les tableaux ne me paraissaient pas destinés exclusivement à des buts décoratifs, domestiques. Je me disais : l'Art est en quelque sorte une mission et il ne faut pas craindre ce mot si vieux. Et quelle que soit la révolution d'ordre technique, réaliste, elle n'a touché que la surface. Ce n'est ni la soi-disant couleur réelle, ni la couleur conventionnelle, qui colorent vraiment l'objet. Ce n'est pas ce qu'on appelle la perspective qui ajoute de la profondeur. Ce n'est pas l'ombre, ni la lumière, qui éclaire le sujet...

M.C.

38   Nature morte à la fenêtre, 1929

C'est Alexis Granowsky, directeur du Théâtre juif Kamerny, qui accorda donc à Chagall la liberté dont il avait besoin pour donner toute sa mesure. Et ce sont les tableaux de grandes dimensions qu'il réalisa pour ce théâtre que l'on doit comparer aux esquisses de la *Révolution* de 1937, si l'on veut saisir les analogies que Chagall perçoit entre le bouleversement social de la fête et celui de la révolution. En comparant avec attention les acteurs de l'*Introduction au Théâtre juif* avec ce tableau que Chagall détruisit aux Etats-Unis après la mort de Bella, lors d'une de ces crises de doute qui furent assez fréquentes dans sa vie, on remarque, d'abord, le rapport le plus flagrant : Lénine, debout sur une main au coin d'une table, joue l'équilibriste comme les acteurs même du théâtre Kamerny, non loin des musiciens. Cette posture de Lénine, contraire à toute l'iconographie du chef de la révolution russe, fait en quelque sorte danser l'histoire du monde, la met littéralement sens dessus dessous : les gens rêvent, méditent ou jouent du violon autour d'un soleil tombé à terre, tandis qu'un âne patiente sur sa chaise. Le peuple en armes, massé sous les drapeaux rouges, contemple le spectacle de Lénine équilibriste comme celui d'un grand acteur, j'allais dire comme celui de l'acteur Michoëls, qui était au Théâtre Kamerny le plus fervent admirateur de Chagall.

Extrait de *Chagall monumental : théâtre et révolution* par Alain Jouffroy. Editions XXe Siècle. Paris, 1973.

40   *La révolution, 1937*

La douleur du monde est présente aussi, sous les signes d'une contemplation grave et mélancolique, mais les symboles de la consolation voisinent toujours avec elle. S'il y a un pauvre homme dans la neige, du moins joue-t-il du violon ; si un rabbin tenant la Thora dans ses bras, est plongé dans un songe douloureux, la présence à ses côtés d'une innocente vache blanche dit la tranquillité de l'univers.

Extrait de *Chagall ou l'orage enchanté* par Raissa Maritain. Editions Trois Collines. Genève, 1948.

39   Solitude, 1933

41   *Le songe d'une nuit d'été, 1939*

43   *La madone du village, 1938-1942*

Comme beaucoup d'artistes ou de penseurs juifs, Chagall reste aussi bouleversé par l'image solitaire du Christ assumant, au-delà des dogmes, l'humanité la plus haute ; en expirant, les bras écartés sur la croix, dans un geste suprême d'amour et de sacrifice, il s'ouvre à la plénitude de la réalité rédimée. Selon ses propres paroles, le Christ est pour Chagall «l'homme à la plus profonde compréhension de la Vie, une figure centrale pour le mystère Vie». Apparu dès 1909, cristallisé dans le mystérieux chef-d'œuvre de 1912, *Golgotha,* le thème de la Crucifixion qui conjugue pour lui les symboles des deux Testaments incarne, à partir de 1938, à partir de la poignante *Crucifixion blanche,* la tragédie du monde.

Extrait de *Marc Chagall* par Jean Leymarie. Grand Palais. Paris, 1969.

42 *Le martyr, 1940*

Entre chien et loup parle de guerre et de nuit. Mais cette nuit, pour étrange qu'elle soit, n'est pas l'étrangère. Les puissances anonymes qui déterminent la vie humaine travaillent aussi le monde. Elles se manifestent dans les symboles particuliers : l'animal et l'astre, l'enfant et le livre, le réverbère et les maisons ; mais surtout, plus profondément, dans le tissu même de la peinture. La substance magiquement évoquée par le pinceau est d'une nature toute particulière. Elle peut être la mer avec ses courants irrésistibles, ses houles, ses écumes ; le royaume de la terre animé par les forces des métaux cachés, sources de la vie végétale ; elle est aussi pareille à l'air, espace dans l'infinie profondeur duquel résonne comme un écho la secrète parenté des hommes et des choses.

Extrait de *Marc Chagall* par Franz Meyer. Editions Flammarion. Paris, 1964.

44   *Entre chien et loup, 1938-43*

Dans la toile du *Jongleur* rien ne demeure soi-même : l'acrobate se fait coq ; le sein nu, voilé d'un éventail, devient à la fois veuve et cheval ; l'arène du cirque est un village dans la campagne ; l'horloge se plie mollement sur un bras comme une chasuble... Dans nombre d'autres toiles les femmes s'étirent en comètes, les violons se changent en visages, en coqs, en ânes, en saltimbanques... On n'en finirait pas d'inventorier, au sein d'une œuvre immense, les mille métamorphoses qui jaillissent des couleurs sur sa toile comme, sous l'œil des enfants, elles jaillissent des nuages sur le ciel...

Extrait de *Chagall* par Vercors. Derrière le Miroir n° 235. Maeght Editeur. Paris, 1979.

45   Le jongleur, 1943

49   *La madone au traîneau, 1947*

46   *L'attelage volant, 1945*

Bien que Chagall soit un poète (comme Jérôme Bosch, Piero di Cosimo et bien d'autres), il est *d'abord* un des coloristes capitaux de notre temps. N'eût-il jamais peint un rabbin, ni ses toiles tricolores traversées de fantômes. Sa puissance poétique est la même dans les œuvres de sa jeunesse et dans *Ma Vie*: entre les unes et l'autre, ce n'est pas la poésie, qui a changé, c'est la couleur. Il a joué tard le grand jeu de la couleur. J'appelle ainsi la passion qui unit les derniers Monets aux derniers Titiens, à tant d'autres... L'énumération pourrait être longue; je veux seulement distinguer ce génie de celui de Rembrandt, du Caravage ou de Vermeer. Dirai-je: l'orchestration? C'est Grünewald, ce n'est pas Fouquet. Nous distinguons les deux familles depuis trois cents ans.

Extrait de *Les céramiques et les sculptures de Chagall* par André Malraux. Editions André Sauret. Monte Carlo, 1972.

47 *Autour d'elle, 1945*

48   *L'âme de la ville, 1945*

51   La pendule à l'aile bleue, 1949

... Ces amoureux dans la nuit, on voudrait leur donner des fleurs, leur faire un sacrifice de fleurs. Justement Chagall y a songé le premier. Et même le bouquet a grandi, est devenu un arbre, qui abrite les amoureux. Quelle joie, et qui va loin! C'est comme s'il n'avait pas honte de nous dire ce qu'au fond nous pensons tous, ce que nous n'arrêtons pas d'imaginer. Il en est lui-même tout surpris: émerveillé. Pourtant ce n'est pas la joie satisfaite, la joie sensuelle d'un Rubens ou d'un Renoir. Elle porte en elle on ne sait qu'elle mélancolie (comme si Chagall regrettait d'avoir coupé les fleurs).

Cette joie extraordinaire, ah! ce n'est pas ça qui aide à parler de lui. Au contraire. Il y a des gens aussi qui se figurent que c'est plus facile de travailler, si l'on a devant sa fenêtre un joli paysage. Eh bien, ce n'est pas vrai. Il n'y a rien qui embrouille autant. Mieux vaut une petite chambre avec de l'ombre, beaucoup d'ombre.

Extrait de *Chagall à sa juste place* par Jean Paulhan. Derrière le Miroir n° 99/100. Maeght Editeur. Paris, juillet-août 1957.

50   *L'arbre de vie, 1948*

52   *Un monde rouge et noir, 1951*

53 Dimanche, 1952-54

Guillaume Apollinaire voyait déjà l'œuvre entier lorsque parlant de Marc Chagall il disait : «C'est un artiste extrêmement varié, capable de peintures monumentales et il n'est embarrassé par aucun système.» Les tableaux de Chagall, en effet, quelle que soit leur dimension, ont ce caractère de représentation qui en font un *événement* dépassant absolument le sujet, tant dans sa composition que dans sa forme et sa couleur. Comme Gauguin et le douanier Rousseau, pour lesquels on connaît son admiration il fait du tableau un événement psychique par le moyen des rapports de la peinture et atteint par là au mythe. Il me semble renouer ainsi avec les artistes du Quattrocento et de la Haute Renaissance jusqu'à Poussin, marqué par son destin au point d'en développer le caractère tout au long de son œuvre et dans toutes les démarches de sa vie.

Extrait de *Marc Chagall : maquettes et esquisses pour l'œuvre monumental* par Charles Marq. Musée national Message Biblique Marc Chagall. Nice, 1974.

56   A Paul Gauguin, 1956

La couleur qui, au début, a été ardente et chaude, avec le sombre éclat d'un feu de braises, assoupli par les cendres, s'est peu à peu libérée pour devenir le feu d'artifice que l'on connaît aujourd'hui et qui, en deux ou trois tons, paraît être un tourbillon lumineux. Nul mieux que Chagall n'a su donner, par la polychromie la plus simple, une sensation plus vivante de mouvement et d'explosion.

Chez lui, dans tous les cas, et plus encore depuis les dernières années, la couleur crée une atmosphère, une vibration, qui composent un espace personnel en dehors du concours de toute ligne de perspective. Il lui est possible ainsi de placer toutes les parties du tableau sur le même plan et de faire régner une égale densité en tous les points.

Extrait de *Chagall* par Raymond Cogniat. Editions Flammarion. Paris, 1968.

58   Le concert, 1957

André Frénaud

Chant de Marc Chagall

Le petit coq rouge volera très haut
si l'animalité veut du bien à l'ange

Le rire clair du bélier se fait entendre
à travers l'horloge
quand les nuages nus remontent
par-delà les maisons
nous emportant avec la fiancée
Nous sommes en route et nos cœurs se prennent à battre
en couleurs vertes et violettes
N'aie pas peur Ce n'est pas pour jouer
Si ma tête n'est pas là elle s'attarde où il faut
Elle arrivera en descendant pour nous rejoindre
tout en haut peut-être
avec les poissons qui s'allongent
N'ai pas peur du moment que je suis avec la fiancée
peu importe que je paraisse en dehors de moi
quand je bats la campagne
pour ramener les bêtes pleines
pour mon étal à plein sang de tendresse

Pour tout le monde la bonté du diable
se met en branle par la vertu du printemps
L'univers s'entrouvre quand je lui fais faire
la grande roue
Mille clignements dans les yeux d'un paon
Le fol espace que je fais apparaître
pour élever la beauté sainte désirable.

57   *Roses et mimosa, 1956*

60   David, 1962-63

59   Bethsabée, 1962-63

54   *La fenêtre blanche, 1955*

55   *Les glaïeuls, 1955-56*

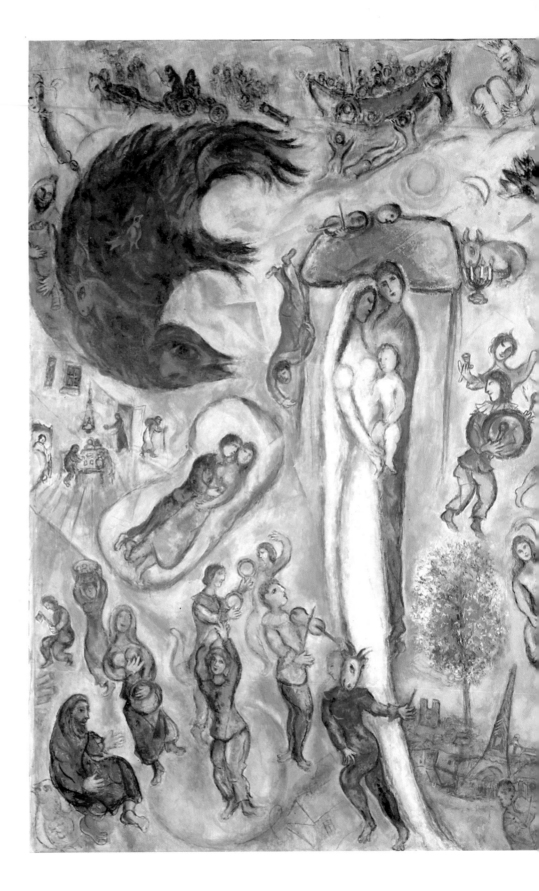

61 *La vie, 1964*

Les récits bibliques s'intègrent dans le processus historique des civilisations afro-méditerranéennes. Chagall, qui en est profondément nourri, nous en fournit une version plastique, qui n'appartient qu'à son art visionnaire. Il les interprète, les fait siens, tout en respectant l'esprit, la loi dirai-je, de l'Ecriture...

La Parole est peinte. Elle atteint la grandeur épique, parfois touche au sublime, mais en même temps, elle demeure familière, frôlée par une fantaisie et une grâce ailées. Le sévère y fourmille de détails touchants. Au cœur du tragique, y perce toujours, fleur tenace et têtue, un bout d'aurore. L'humour, le drôle, le candide y avoisinent le drame. L'idylle étoilée, apaisante y transparaît dans la grande nuit annonciatrice et toujours bleue.

Extrait de *Chagall monumental : L'éternité retrouvée* par André Verdet. Editions XXᵉ Siècle. Paris, 1973.

62　*L'exode, 1952-66*

Sans doute, Chagall, peintre des amoureux, des fleurs, des bêtes et de toute la grâce de ce monde, votre œuvre n'est d'un bout à l'autre qu'un chant. Mais ce chant n'a pas ignoré la solitude, l'exil, la misère, le deuil ; vos anges n'ont pas toujours été des chérubins : ils ont pris parfois la figure de la malédiction ou de la mort ; vous plaisait-il de peindre un monde heureux, vous faisiez place aux choses et aux êtres les plus humbles, vous partagiez leur vie, il y avait communion entre vous tous ; si plaisantes que soient vos fables, si pimpants leurs décors, c'est par cet amour qu'ils nous émeuvent et se prolongent.

Extrait de *Avec Chagall* par Marcel Arland. Derrière le Miroir n° 147. Maeght Editeur. Paris, 1964.

63 *La guerre, 1964-66*

65   *Les paysans de Vence, 1967*

64   Portrait de Vava, 1966

Comme tout symbole, le Christ présente aux yeux de Chagall d'autres sens également. Il est le martyr et le Prophète, il est le révolutionnaire qui vit jusqu'au bout les extrêmes possibilités humaines. Il est le créateur payant chaque gain d'une souffrance. Il est aussi, tout simplement, l'homme dans sa solitude et sa détresse.

Extrait de *Marc Chagall* par Franz Meyer. Editions Flammarion. Paris, 1964.

69   Devant le tableau, 1968-71

En vérité, ce qui donne à l'objet sa couleur, ce n'est ni ce qu'on nomme «la couleur réelle» ni «la couleur conventionnelle».

De même, la profondeur ne vient pas des prétendues lois de la perspective.

C'est la vie, de même, qui crée les contrastes sans lesquels l'art serait inimaginable et incomplet.

M.C.

67   Le grand cirque, 1968

Louis Aragon

Chagall l'admirable

Peindre. Un homme a passé sa vie à peindre. Et quand je dis sa vie entendez bien. Le reste est gesticulation. Peindre est sa vie. Que peint-il? Des fruits, des fleurs, l'entrée d'un roi dans une ville? Tout ce qui s'explique est autre chose que la vie. Que sa vie. Sa vie est peindre. Inexplicablement. Peindre ou parler peut-être: il voit comme on entend. Les choses peintes sur la toile à la façon des phrases feintes. Les mots s'enchaînent. Tout fait phrase après tout, il n'y a pas à comprendre: est-ce que la musique, alors pourquoi la peinture? Il faudrait tout reprendre du commencement: comment a commencé de s'écrire ce monde jamais achevé, ce pays du dépaysement? Ce pays d'apesanteur où rien ne différencie l'homme de l'oiseau, l'âne habite le ciel, il se fait cirque de toute chose, on marche si bien sur la tête, il n'y a pas besoin d'explication si la couleur assimile un coq au bras du joueur de flûte, et dessine à l'ombre de sa nuque une femme nue tandis qu'au loin le village à la fois se dore du soleil et de la lune. Nous sommes toujours au seuil des heures. L'aiguille montre le pas à faire et le franchit. Le spectacle est *donné*. Hommes et femmes sont enceints d'apparitions: bêtes brutes, personnages d'un théâtre forain, sabbat de nul Brocken, hantise d'un autre-part aux jours d'enfance, têtes perdues, gymnasiarques d'un monde inverse, bateleurs qu'accompagne quel invisible violon? C'est le rêve éveillé d'un peuple où il y a tant d'amoureux que ne sais lequel prendre. Et sans doute jamais personne ainsi n'a inondé mes yeux de lumière, qui pourtant ait toujours si divinement sur moi fait régner la nuit.

Il y a une dialectique chagallienne à quoi je ne connais de précédent que *Le Songe d'une nuit d'été*. Pas besoin d'oripeaux pour en parer les acteurs sur qui tout se fait paillettes comme aux plumes, et les bouquets le plus souvent sont bosquets à les comparer aux danseurs. Et plus le peintre avançait dans son âge et plus il prenait plaisir de païen dans la paille des couleurs. Le mirage ici n'est pas aux confins du désert, mais au miroitement des êtres, où la bête et l'homme se confondent, on ne sait quel rêve de la main morcelle amoureusement l'ombre et la clarté, semble de la pulpe des doigts palper l'éparpillement d'un vert et d'un orange. Et ce peintre parfois apparaît palette en main au pied de la toile avec un visage animal à la façon de Bottom, si bien que le monde entier semble devant lui le modèle d'une parade imaginaire où se joue au vrai l'ailleurs des rêves, l'inconscient fait conscient. Et c'est partout, presque partout le royaume du toucher, le pays caressant des mains, le plus souvent ouvertes, qui d'autre a jamais peint cela? Un bœuf passe au loin lent, si lent que s'éteint le violon et toute étreinte tient étrangement de l'oaristys, ô silence de l'amour toujours réinventé, s'il se fait c'est toujours la première fois, le même émerveillement d'adolescence.

La merveille ici tient moins que jamais de comprendre. Parce que tout ce que je reconnais augmente et non pas diminue le mystère. Les paysans, les clowns, ou les amants d'un soir. Et les villages lointains qui peuvent être aussi bien Notre-Dame ou la tour Eiffel ou l'Opéra. Mais Paris même est la campagne, il a des lumières qui sont peut-être des lilas. C'est dans les petits personnages qu'autrefois les peintres laissaient le soin de fignoler à des élèves, des artisans, de fignoler dans la perspective de leurs compositions majeures, et qu'on appelait des *postiches,* que Marc Chagall dément toujours la lecture sommaire qu'on peut faire de ses tableaux pour les rendre sages. L'un d'eux s'est mis à cavaler sur les mains dans la rue, un autre s'en va par le ciel la tête en bas, le visage tourné: allez en donner une version raisonnable, et cohérente au moins à une mythologie qu'on pourrait définir! Le peintre dément dans le détail la composition d'ensemble et jusqu'à l'équilibre de ce qu'elle semble dire à première vue, comme où s'accouple aux êtres humains un bétail auquel je vous défie bien de donner sens ou valeur symbolique. Et le temps n'y fait rien dans cette œuvre qui s'étend sur plus de soixante années, au contraire: la logique de l'arbitraire y va de nos jours prédominant, par un défi lancé à l'âge, une moquerie du temps et de sa puissance. On me dira, bien sûr, qu'il y a des tableaux de Chagall qui contredisent mon propos, on invoquera la cohérence du sujet, particulièrement dans cette grande et merveilleuse série biblique où le peintre semble se plier à « l'histoire » contée, s'en

66   *Les oiseaux dans la nuit, 1967*

tenir au récit, l'illustre. Qu'est-ce que cela prouve, à part qu'il ait pouvoir de faire comme ceci et comme cela? Et qu'une mythologie ne chasse pas l'autre.

Il y a des tableaux qu'on regarde, habitués que nous sommes au *faire* de tant d'années, sans même en plus remarquer l'étrangeté, l'*irréductible,* l'irrationnel. Et pourtant c'est en cela que réside le prodige, en un mot la poésie. Moins une scène de Chagall peut se ramener à une scène de la vie courante (joli, vous ne trouvez pas, le mot *courant* adapté à la vie?), moins on peut en conclure de ses éléments une signification commune, moins ceux-ci semblent prémisses de ceux-là, ou le contraire. La rigueur de la composition chez ce peintre est dans sa liberté. J'aurais tendance à croire qu'il est, plus que par ce qu'il représente, dominé par le plaisir qu'il prend de sa peinture, de l'hégémonie des couleurs. Je ne l'aime jamais tant que dans l'apparent disparate où il paraît se perdre ou se défaire. Ou il semble jouer d'un étrange kaléidoscope, lequel, au contraire de tous les autres, détruit toujours l'équilibre géométrique, alors que chez eux celui-ci semble la fin même, l'achevé de l'œuvre d'art.

Chez Chagall, il y aurait un bestiaire à réunir, et si parents parfois que puissent être oiseaux et chevaux, il faut toujours s'attendre à des variations de leur morphologie. Je n'en voudrais pour exemple que ce tableau récent où dans une nuit d'un bleu profond la lune est noire et le sol porte une fois de plus un village de Biélorussie: un personnage y est assis autour duquel semble s'organiser le délire du ciel par une façon d'éclair tombant, écharpe diagonale, à son épaule... allez décrire cela! quand c'est proprement là-haut l'indescriptible, deux oiseaux, un enfant nu, une figure féminine latérale tracée blanche sur le fond sombre, un poney, et ce visage éclairant la partie supérieure du tableau, appartient-il à ce corps coupé de brun, de noir, de vert et de sang frais? au-dessous de quoi sur la gauche s'éclaire la tête rose d'un cheval au corps vert dont un pied bleu pose sur le blême d'un face lunaire (ou si c'est un caillou?), l'autre semble avec sa cheville fine appartenir à la mystérieuse accouchée du ciel. Regardez-le, vous n'y verrez rien de ce que je dis, et soit béni votre regard à déchiffrer la nuit à son aise! Je ne veux que vous mettre en garde contre toute tendance à donner à ces nocturnes comme aux tableaux du grand soleil le sens d'une mythologie arbitraire. Ne réveillez pas le peintre! Il rêve, et le rêve est chose sacrée. Chose secrète. Il aura rêvé sa peinture et sa vie. Le monde est sa nuit comme il y fait son jour.

(Il y a dans les mots, le vocabulaire qu'on croit avoir mais qui vous est énigmatiquement *dicté,* le choix des mots, quelque chose qui ressemble à la palette des peintres. Je me relis, je me relie à ce qu'il a bien fallu, dans ces pages, écrire. Essayer énigmatiquement de cerner. Comme on s'habille. Et la peinture alors me soit miroir ou fond de l'œil. Il m'apparaît soudain dans ma parole fixée je ne sais quel pollen étranger, il passe sur moi l'haleine d'êtres d'ailleurs venus que de mon regard. Par exemple : à parler Chagall, j'emploie soudain des vocables d'une tout autre verrerie que la mienne, des mots que j'avais peut-être au fond d'un placard mais dont je ne me servais pas. Comme sans le remarquer, quelque part au hasard des bouquets du peintre, dans un verre d'eau, une main tendue, portés, que sais-je? me vient de les comparer à des bosquets. J'aurais pu les voir comme ces buissons de grosses crevettes qu'on appelle aussi bouquets. Mais non, je les ai vus bosquets, je m'avise, et que ce mot-là n'est pas de ma palette. Et brusquement reprenant cette proposition d'apparence banale : ... *et les bouquets me sont bosquets à les comparer aux danseurs...* [à ceci près que j'avais d'abord écrit *à les comparer aux donneurs*], j'entends en elle une voix qui n'est pas la mienne, un accent extérieur: car, à m'en souvenir, le mot *bosquet* n'est pas de mes couleurs. Pourquoi m'est-il venu pour Chagall? Il serait trop facile de penser qu'il s'explique d'une comparaison sonore, d'une variation qui tient manière de rime. A y songer, j'entends une parenté tout autre, une eau différemment profonde sous ces mots-là. C'est le sentiment inconscient que je porte en moi devant Chagall d'un autre peintre d'autre temps, comme devant Manet de Vélasquez. Le mot *bosquet* qui semble sortir d'une fête galante, d'un dix-huitième siècle, à l'opposé de la peinture chagallienne, une contradiction des songes, une incompatibilité de lecture, s'est pourtant imposé à moi, dans cette phrase que je dis, comme une nécessité, comme la *proposition* tracée sur un mur pour me conduire où je n'irais pas sans lui, une confidence de chemineau, de voleur qui sait, une marque d'itinéraire, une complicité de singulier aloi: que voulait-on me faire penser, où me mène ainsi, d'une craie ou d'un charbon, cette main d'inconnu vers un secret qu'elle m'ouvre? Soudain la lumière se fait: comment n'y avais-je donc pas songé! Ce n'est guère au bouquet que le bosquet ressemble, ou l'inverse. Il s'agit d'une autre parenté, parité... d'une autre rivière souterraine. Il me souvient soudain d'un peintre qui porte un nom à la semblance de son pays, un peintre qui semble toujours hanté de l'imaginaire, et qu'à l'image de son pays de halliers nous appelons Hieronymus Bosch. Chacun traîne après soi son enfance à la façon d'un bois mort, et les bosquets de Hollande sont accrochés par son patronyme à ce singulier défricheur d'enfer, comme à l'autre à travers les chemins d'exil Vitebsk où il naquit. Et si rime se fait ici non pour l'oreille je ne m'en avise certainement pas pour ce jeu sonore, cette référence de géographie, mais parce que rien n'est plus proche à tout prendre de ce peintre inexplicable que celui dont je parle, et que Chagall lui ressemble ainsi qu'à Poussin Corot... non que par là je croie aucunement *justifier* [1] mon peintre par un précédent des siècles, mais simplement que cet écho de cristal à travers le temps et les pays m'est irrésistible à faire d'un ongle tinter ce verre bleu, ce verre orange... Tout ceci peut sembler arbitraire ou gratuit : je n'ai voulu, de cette parenthèse, que souligner, par une parenté perspective, la place singulière qu'occupe désormais ce peintre appelé Chagall comme dans l'histoire de la peinture ce peintre de l'impossible que fut Hieronymus Bosch, dont la gloire éclate en notre siècle, le temps venu de briser le verre des lunettes, et de laisser chanter les oiseaux à l'épaule des aveugles.)

Comme se pose une pierre au seuil d'une demeure à construire alors que les murs n'en sont encore que sur les plans, et les toits pure hypothèse, d'un titre à l'entrée de ces pages, j'ai dit Chagall l'Admirable, comme il fut inventé de nommer un certain Ruysbroek jadis au Brabant. *Admirable,* comme ici je l'écris, je l'emploie et le plie, est un adjectif-futur, si, au profit de l'épithète, on peut enlever au verbe le monopole d'imaginer l'avenir. Non pour opposer ce peintre à tel autre d'aujourd'hui ou de demain. Mais, n'en déplaise aux nouveaux iconoclastes, le situer à l'aurore d'un jour qui ne finira point.

1. Au sens typographique du mot.

Derrière le Miroir n° 198. Maeght Editeur. Paris, mai 1972.

68   *Les comédiens, 1968*

Un tableau, pour moi, est une surface couverte avec des représentations de choses (objets, animaux, formes humaines) dans un certain ordre, dans lequel la logique et l'illustration n'ont aucune importance. Il existe peut-être une mystérieuse quatrième ou cinquième dimension — peut-être non seulement de l'œil — laquelle, intuitivement, donne naissance à une balance de contrastes plastiques et psychiques, perçant l'œil du spectateur par des conceptions nouvelles et inaccoutumées.

M.C.

70   L'envol, 1968-71

Chagall sait aussi que sa couleur à lui est le bleu, et je dirais volontiers, pour ma part, que ce bleu est sombre et nocturne, celui d'une nuit d'été chargée de feux. A disparu, à jamais peut-être, l'astre qui répandait le jour d'une foi commune. Mais les choses vivantes sont toujours là, bruissantes et odorantes dans la profondeur du jardin. Le peintre en est proche et les devine. Il leur parle, sans trop savoir s'il est éveillé ou s'il rêve. Il lui faut être à la fois distrait et infiniment attentif. Il est à *l'intérieur* de sa couleur qui est comme une âme. Et cela fait que l'espace qui sépare, cette invention de la pensée rationnelle, cesse un moment d'exister.

Extrait de *La religion de Chagall* par Yves Bonnefoy. Derrière le Miroir n° 132. Maeght Editeur. Paris, 1962.

71   La promenade, 1973

Qu'est-ce que c'est qu'une couleur, qu'est-ce que c'est qu'une forme? Je n'en sais rien. Personne n'en sait rien. C'est comme la lumière ou l'homme: ce sont là des mots qui sont plus clairs d'eux-mêmes que tout ce qu'on en dirait. Mais, je puis du moins observer leurs changements. Je puis me demander ce que le peintre veut me dire, ce qu'il me donne à entendre par leurs variations.

Extrait de *Chagall à sa juste place* par Jean Paulhan. Derrière le Miroir n° 99/100. Maeght Editeur. Paris, 1957.

72   *Le repos, 1975*

74   *La chute d'Icare, 1975*

73   *Don Quichotte, 1975*

Il est familier avec la source et la pluie. Il traite le soleil d'égal à égal. Il ne refuse rien. Il a peint, visiblement, tout ce qui l'occupe, des chevaux en flammes jusqu'à l'esprit aux grands yeux. Il est égal à lui-même dans la joie et dans la tristesse. Ou plutôt dans cet extrême bonheur qui n'ignore pas la tristesse et la privation.

Extrait de *Chagall à sa juste place* par Jean Paulhan. Derrière le Miroir n° 99/100. Maeght Editeur. Paris, 1957.

76   *Le mythe d'Orphée, 1977*

L'œuvre de Chagall est un drame continuel des liaisons plastiques, une recherche ininterrompue de périlleuses unités. Lier, unir ces deux matières si essentiellement différentes, ces frottis délicats aux tons assourdis par la distance avec l'éclat bousculant de ces pâtes onctueuses, mettre en contact des plans ouvragés avec de pieux soins et la dureté primitive des surfaces ébauchées, arranger la course libre de ses arabesques à travers les anomalies des plans, voilà un travail qui ne peut réussir que d'un peintre.

Extrait de *Marc Chagall* par Efstratios Tériade. Cahiers d'Art n° 6. Paris, 1926.

78   *L'événement, 1978*

Accueillons ce nouveau printemps que vous nous offrez ; nous en avons besoin ; mêlons-nous à vos fleurs, vos amoureux, vos anges, vos caprices, vos fables, votre lumière, à tout ce monde de métamorphoses qui, de nature, est en vous, merveilleux et vrai comme parole d'Évangile — de l'Évangile selon le bienheureux Marc.

Extrait de *Avec Chagall* par Marcel Arland. Derrière le Miroir n° 147. Maeght Editeur. Paris, 1964.

77   *Paysage de Paris, 1978*

Du cirque, par exemple, dont on sait que pendant toute sa vie d'artiste Chagall s'inspira autant que de la Bible, ce qui n'est pas peu dire, rappelons-nous que son espace est circulaire et clos et qu'il est analogue à un vaste creuset où sont exaltés l'homme et la femme parmi les animaux, selon des règles traditionnelles, entre des rayons et des feux qui sont là pour favoriser la naissance d'une espèce de miracle illusoire. Les cirques de Chagall sont de grands œufs où croît le germe de l'amour jusqu'à ce qu'une maturité explosive en projette les formes multiples comme pour fertiliser les quatre éléments, carrefour de toute vie.

Extrait de *Chagall* par André Pieyre de Mandiargues. Maeght Editeur. Paris, 1974.

80   *La grande parade, 1979-80*

79   *Les musiciens, 1979*

75 *Le grand cirque gris, 1975*

83   *Le songe, 1984*

82   Dos à dos, 1984

81   *Couple sur fond rouge, 1983*

Biographie

Marc Chagall est né à Vitebsk (Russie blanche) le 7 juillet 1887. Aîné d'une famille de neuf enfants. Fréquente pendant sept à huit ans l'école primaire.

A sa sortie de l'école primaire est envoyé à l'école officielle de Vitebsk. Ses études scolaires terminées, entre en 1906 dans l'atelier du peintre Jehouda Pen où il ne reste que deux mois à peine. Dans la même période fait un apprentissage de retoucheur chez un photographe local.

Part pour Saint-Pétersbourg où sa vie fut au début misérable. Travaille à nouveau, les premiers mois, chez un retoucheur photographe. Dans une situation proche de la misère, mal nourri, il doit alors se contenter de logements misérables.

Pour vivre à Saint-Pétersbourg les Juifs avaient besoin d'un permis spécial. Comme ce permis était accordé aux artisans, Chagall essaie de se faire peintre d'enseignes ; il subit l'apprentissage nécessaire, mais rate l'examen final.

Pris en charge par l'avocat et mécène Goldberg, Chagall s'installe chez lui prétendument en qualité de domestique (ce qui lui donnait son permis de séjour).
Entre dans une école fondée par la Société impériale pour la protection des Beaux-Arts. Ses travaux sont rapidement remarqués et le directeur de l'École, le peintre Nicolas Roerich, réussit à lui obtenir un sursis militaire. Son travail est enfin récompensé par une bourse de quinze roubles par mois, pendant un an, à compter de septembre 1907. Chagall n'en était pas moins mécontent.

Il quitte l'École en juillet 1908.

1908

Après son départ de l'Ecole impériale, travaille quelques mois dans une école privée sous la direction du peintre Saidenberg. L'enseignement y était beaucoup moins libéral qu'à l'Ecole impériale et le style résolument académique.

Parmi ces mécènes, Chagall rencontre le très influent Vivaner, député à la Douma.

Vers la fin de l'année, muni d'un mot de recommandation, Chagall se rend chez Bakst, alors directeur de l'École Swanseva, où régnait un esprit plus libéral et plus moderne que nulle part ailleurs.

Bakst accepta le jeune peintre dans son École et par là même lui a ouvert la porte vers un art nouveau.

1909

Continue ses études chez Bakst. Fait des séjours plus ou moins prolongés à Vitebsk.
Fait la connaissance, dans sa ville natale, de Bella Rosenfeld, sa future femme, qu'il n'épousera qu'en 1915, après son séjour à Paris.

1910

Continue ses études à l'École Swanseva où est organisée du 20 avril au 9 mai une exposition d'œuvres d'élèves. Cette présentation fut un véritable manifeste en faveur de l'art nouveau. Chagall exposa *La noce, Le mort* et *Un paysan mangeant* (œuvre aujourd'hui perdue).

La ville de Vitebsk - coupure de journal vers 1880

Chagall quitte Saint-Pétersbourg pour Paris grâce à une bourse offerte par le mécène Vivaner.

Chagall occupe tout d'abord un atelier, 18, impasse du Maine (aujourd'hui impasse Bourdelle). Il fréquente plusieurs académies «La Palette» et «La Grande Chaumière» entre autres.

1911-1912

Au cours de l'hiver 1911-1912, ou du printemps 1912, Chagall s'installe dans un atelier de «La Ruche», près des abattoirs de Vaugirard, 2, passage Dantzig, le loyer de son appartement impasse du Maine étant trop onéreux pour ses faibles moyens financiers. «La Ruche», qui existe encore actuellement, était composée d'ateliers misérables où se réfugiaient des artistes et des poètes venus des quatre coins du monde. Parmi ces artistes faméliques, outre Chagall, se rencontrent Léger, Laurens, Archipenko, Modigliani et Soutine.

C'est dans ce décor que Chagall peint ses premiers grands chefs-d'œuvre: *A la Russie, aux ânes et aux autres, Le saint voiturier, Moi et le village, Hommage à Apollinaire,* entre autres; il n'avait que vingt-cinq ans.

Chagall se lie d'une très forte amitié avec Blaise Cendrars, qui parlait le russe, et qui lui dédia en 1913 le quatrième *Poème élastique* composé de deux parties *Portraits* et *Atelier.*

Il rencontre les poètes Max Jacob, André Salmon et Guillaume Apollinaire.

1912

Expose trois toiles au Salon des Indépendants.

Chagall participe, grâce à l'invitation du sculpteur Kogan, de Delaunay et de Le Fauconnier, au Salon d'Automne; *Golgotha* figure parmi les trois toiles exposées à cette manifestation.
Rencontre, par l'intermédiaire de Guillaume Apollinaire, Herwarth Walden, grand marchand et protecteur des arts.
Au cours d'une de ses premières visites à «La Ruche», dans l'atelier de Chagall, Apollinaire s'écria devant les œuvres de l'artiste: «Surnaturel» — Le surréalisme (mouvement auquel Chagall n'a jamais adhéré) venait de naître. Le lendemain, Apollinaire faisait parvenir à son ami le poème *Rodsoge* qu'il lui dédia.
Ce poème servit de préface pour le catalogue de la première grande exposition particulière de l'artiste, organisée par Walden à la Galerie Der Sturm à Berlin en 1914.

1913

Expose au Salon des Indépendants la grande *Naissance* et *Adam et Ève.*

Expose au Salon des Indépendants d'Amsterdam trois tableaux, *Maternité, Le peintre et sa fiancée, Un musicien,* qui passeront dans la collection Regnault.

1914

Expose au Salon des Indépendants *Le violoniste* et *l'Autoportrait aux sept doigts.*
Juin, juillet, première exposition personnelle à la Galerie Der Sturm à Berlin.

La maison natale après la guerre

Les parents de Marc Chagall

Marc Chagall, 1905-06

Marc Chagall et sa famille

Pour se rendre à Berlin, puis ensuite en Russie afin de revoir sa famille, Chagall demande un passeport. Celui-ci est établi par le Consulat russe de Paris en date du 9 mai avec une validité de trois mois.

Le 15 juin, après le vernissage de son exposition, il prend le train pour se rendre en Russie. Il ne devait faire qu'un bref séjour à Vitebsk, mais la déclaration de guerre réduit à néant son projet de retour à Paris.

1915

Tente sans succès de regagner Paris.

Épouse Bella Rosenfeld le 25 juillet à Vitebsk.

Est employé dans un bureau d'Économie de guerre à Petrograd, ce travail pouvant remplacer le service militaire.

Rencontre de grands poètes russes: Alexandre Block, Essenine, Maïakovsky et Pasternak.

Expose au Salon artistique de Moscou 25 tableaux de 1914, dans une autre exposition du groupe 45 tableaux de 1914-1915.

1916

Naissance de sa fille Ida.

Expose à la Galerie Dobitchine «Art russe contemporain» 63 tableaux de 1914-1915.

En novembre, 45 de ses œuvres sont exposées «Au valet de carreau» à Moscou.

1917

Expose à la Galerie Dobitchine à Petrograd 74 œuvres dont les premières illustrations de livres et de dessins de journaux. Au printemps, expose à nouveau dans la même galerie 7 tableaux, *Études d'été*.

La Révolution d'Octobre se déclare. Il est question alors d'un ministère des Affaires culturelles composé de trois responsables: Maïakovsky pour la poésie, Meyerhold pour le théâtre et Chagall pour les Beaux-Arts.

Bella, sa femme, lui conseille fermement de renoncer à ce projet. Ils retournent à Vitebsk où ils habitent dans la maison des beaux-parents Rosenfeld.

Marc Chagall et Bella avant son départ pour Paris

1918

Première monographie due aux critiques Efross et Tugendhold. En août, Lounatcharsky, que Chagall avait connu à Paris, devenu Commissaire du Peuple à l'Éducation et à la Culture, donne son accord pour l'ouverture d'une École des Beaux-Arts à Vitebsk. Est nommé Commissaire des Beaux-Arts et devient directeur de l'École.

En l'honneur du premier anniversaire de la Révolution, Chagall mobilise tous les artistes pour décorer la ville de façon exceptionnelle. Sept arcs de triomphe furent

Marc Chagall devant la Fontaine de l'Observatoire, Paris, juin 1911

érigés, environ trois cent cinquante banderoles peintes, les vitrines des magasins ainsi que les tramways étaient pavoisés. Pour la première fois, « l'Art était descendu dans la rue ».

Une salle particulière lui est réservée à une exposition au Palais d'Hiver de Leningrad. L'État lui achète, à des prix très bas, douze de ses œuvres.

1919

Inauguration le 28 janvier de l'Académie de Vitebsk. Parmi les professeurs se retrouvent Jean Rougny, Lissitzsky, Malevitch et Pen qui avait initié Chagall à la peinture.

Chagall et Malevitch deviennent très rapidement opposés, tant sur un plan de relations humaines que sur les conceptions artistiques.

Fait de nombreux voyages à Moscou pour tenter d'obtenir des subventions du ministère. Au retour d'un de ces voyages, il trouve sur la porte au lieu d'« Académie libre », l'inscription : « Académie suprématiste », Malevitch et Lissitzsky ayant profité de son absence pour imposer leur volonté. Chagall donne sa démission malgré les supplications de la majorité de ses élèves et repart pour Moscou. Les suppliques de ses partisans ont en fin de compte raison de sa volonté, il revient à Vitebsk, mais cette nouvelle tentative ne devait durer que quelques mois.

En mai 1920, il quitte définitivement Vitebsk pour s'installer à Moscou.

1920

Exécute de nombreuses maquettes pour le théâtre : *Le revizor* de Gogol, *Le baladin du monde occidental* de Synge, *Les miniatures* de Scholem-Aleichem...

Rencontre Alexis Granowsky, directeur du Théâtre juif Kammeny à Moscou, pour lequel il exécute de grandes peintures : *Introduction au théâtre juif, La littérature, Le théâtre, La danse, La musique, La table du mariage*.

1921

Pendant presque toute l'année il enseigne le dessin dans les colonies d'orphelins de guerre « Malakhovka » et « IIIe Internationale ». Ces institutions étaient situées aux environs de Moscou, ce qui lui permettait d'assurer son enseignement tout en faisant de rapides voyages pour travailler au théâtre.

Commence à rédiger son autobiographie *Ma Vie*.

Membre du Comité en été 1919 de gauche à droite : Lissitzki, ..., Chagall, ...

1922

Au cours de l'été, Chagall trouve la possibilité de quitter la Russie.

Le poète Jurgis Baltrusaitis, alors ambassadeur de Lithuanie à Moscou, lui permit d'envoyer ses toiles à Kaunas.

Après un bref séjour à Kaunas, Chagall, emportant ses tableaux, partit pour Berlin où Bella et sa fille Ida réussirent à le rejoindre.

1923

Chagall, sa femme et sa fille restent en Allemagne de l'été 1922 à l'automne 1923. Son premier souci fut de retrouver Walden chez qui il avait laissé de nombreuses toiles, huit ans auparavant.

L'artiste ne put récupérer que trois tableaux, *A la Russie, aux ânes et aux autres, Moi et le village, Le poète,* ainsi que dix gouaches. En dehors des toiles, tout l'œuvre antérieur avait pratiquement disparu.

Il réalise à Berlin, pour le compte de Cassirer, vingt gravures sur le thème *Ma Vie* ainsi que quelques lithographies; ce sont ses premières œuvres dans ce domaine.

Les œuvres laissées par Chagall dans son atelier de «La Ruche» avaient été également dispersées. Blaise Cendrars s'en était approprié quelques-unes qu'il avait vendues. C'est ainsi que le grand marchand de tableaux Ambroise Vollard (défenseur entre autres de Cézanne et de Van Gogh) remarqua un jour chez le critique d'art Coquiot des œuvres de Chagall. A l'époque, Coquiot pensait que le peintre avait disparu pendant la révolution soviétique et pour plus amples renseignements il adressa Vollard à Blaise Cendrars. Celui-ci écrivit immédiatement à son ami: «Reviens, tu es célèbre et Vollard t'attend...» En août 1923, Chagall demande un visa pour rentrer en France et le 1er septembre il revient à Paris.
Dès sa première rencontre, Vollard propose à Chagall d'illustrer *Le général Dourakine*, mais le peintre qui admirait Gogol choisit *Les Ames mortes*. Chagall de 1924 à 1925 réalise 107 eaux-fortes. Vollard se déclare enchanté du livre, mais ne le publie pas. *Les Ames mortes* ne paraîtront qu'en 1948 par les soins de l'éditeur Tériade. Chagall exécutera plus tard deux autres ouvrages pour Ambroise Vollard: *La Bible* et *Les Fables* de La Fontaine.

1924

S'installe dans un atelier, 101, avenue d'Orléans.
Dans le milieu que fréquente Chagall se retrouvent Sonia et Robert Delaunay, Marcoussis, Juan Gris.
L'événement le plus important d'alors est la naissance du surréalisme. Max Ernst et Éluard voulurent l'inviter dans leur groupe. Chagall refusa car il entrevoyait une autre finalité à son œuvre. Dès lors pour les surréalistes et comme l'écrit André Breton il leur semble suspect de «mysticisme».

André Breton devait réviser ce jugement en 1941 lorsqu'il écrivait: «Sa totale explosion lyrique date de 1911. C'est de cet instant que la métaphore, avec lui seul, marque son entrée triomphale dans la peinture mo-

Marc Chagall peint les esquisses pour le théâtre juif de Moscou, 1919-21

derne. Pour consommer le bouleversement des plans spatiaux préparé de longue main par Rimbaud et en même temps affranchir l'objet des lois de la pesanteur, de la gravité, abattre la barrière des éléments et des signes, chez Chagall cette métaphore se découvre d'emblée un support plastique dans l'image hypnagogique et dans l'image eidétique (ou esthétique), laquelle ne devrait être décrite que plus tard, avec tous les caractères que Chagall a su lui attribuer. Il n'a rien été de plus résolument magique que cette œuvre, dont les admirables couleurs de prisme emportent et transfigurent le tourment moderne, tout en réservant l'ancienne ingénuité à l'expression de ce qui dans la nature proclame le principe du plaisir : les fleurs et les expressions de l'amour. »

En avril, séjour à Ault en Normandie, au bord de la mer.

En juin, séjour à l'île de Bréhat, en Bretagne.

Exposition rétrospective à la Galerie Barbazange-Hodebert où il fait la connaissance d'André Malraux qui jouera par la suite un grand rôle dans la carrière de Chagall. Une grande amitié les liera tous les deux jusqu'à la mort de Malraux, en novembre 1976.

1925

La famille Chagall passe quelques mois à l'Isle-Adam.

Florent Fels, qui possède une maison à Septeuil, fait découvrir au peintre le pays situé entre la Seine et l'Oise. Chagall loue deux pièces chez un garde champêtre à Montchauvet près de Mantes. Lui et sa famille y passent quelques semaines à diverses époques.

Il y travaille particulièrement à terminer les planches de gravures des *Ames mortes*.

1926

Sur l'invitation d'Ambroise Vollard d'illustrer *Les Fables* de La Fontaine, Chagall commence l'exécution d'une centaine de grandes gouaches préparatoires à l'ouvrage qui sera réalisé en gravure sur cuivre.

Passe avec sa famille une grande partie de l'année loin de Paris. Au printemps, il séjourne au Mourillon près de Toulon. De là il se rend à Nice où la végétation et la lumière furent pour lui une révélation. De ce premier contact naîtra plus tard son attirance pour la Côte d'Azur. Passe ensuite quelques mois en Auvergne, la plupart du temps au lac Chambon où il travaille aux gouaches pour *Les Fables*.

Réalise quinze eaux-fortes pour *Les Sept Péchés Capitaux* ainsi que cinq eaux-fortes pour *Maternité* de Marcel Arland.

Marc Chagall, 1922

Loue une maison, 3, allée des Pins, à Boulogne-sur-Seine.

Fait la connaissance de l'éditeur Tériade ainsi que de Maillol, Rouault, Vlaminck et Bonnard.

Première exposition en Amérique à la Reinhart Galleries, à New York.

1927

Aborde toujours, à la demande de Vollard, le thème du cirque et exécute dix-neuf grandes gouaches.

Signe un contrat, pour la peinture, avec Bernheim jeune.

Fait partie du groupe des membres fondateurs de la Société des « Peintres-Graveurs ».

Retourne au cours de l'été en Auvergne, à Chatelguyon, où sa femme fait une cure.
Séjourne également aux environs de Saint-Jean-de-Luz.
En automne, voyage en voiture avec Robert Delaunay pour se rendre à Limoux, près de Carcassonne, afin de rencontrer Joseph Delteil.
Les voyageurs, en passant par Montauban et Albi, se rendirent jusqu'à Collioure chez Maillol.
Fait la connaissance de Jean Paulhan.

1928

Voyage en Savoie avec sa famille, d'abord à Chamonix, puis dans les villages voisins, Les Houches et Les Bossons.
Voyage en été, seul, à Céret.
Commence les gravures pour *Les Fables* de La Fontaine.
Traduction en français de l'autobiographie *Ma Vie* par Bella Chagall avec l'aide de Ludmilla Gaussel et de Jean Paulhan qui donna quelques conseils.
Cette traduction paraîtra en 1931.

1929

Voyage à Céret, accompagné de Bella, en automne.
Séjour d'hiver en Savoie.
A la fin de l'année, déménage à nouveau.
Il achète une maison dans la Cité dite Montmorency, près de la porte d'Auteuil.

1930

Fait au printemps un court voyage à Berlin pour l'exposition des gouaches des *Fables* de La Fontaine à la Galerie Flechtheim.
Séjour avec les siens à Nesle-la-Vallée, village situé non loin de Nantes.
Au cours de l'été et de l'automne passe d'abord quelques semaines sur la côte méditerranéenne, puis à Peïra-Cava, dans les Alpes-Maritimes. Alors qu'il termine les gravures des *Fables*, la toute dernière sera achevée début 1931, Vollard commande à Chagall un troisième ouvrage, l'illustration de *La Bible*.

Le peintre commence par exécuter de grandes gouaches. Ces œuvres qui se trouvent maintenant au Musée national Message Biblique Marc Chagall, à Nice, constituent la genèse de l'œuvre considérable que Chagall exécutera à partir de cette époque sur les grands thèmes bibliques.

1931

Se rend de février à avril, avec sa femme et sa fille, en Palestine sur l'invitation de Dizengoff, l'un des grands pionniers d'Israël, maire et fondateur de Tel-Aviv.
Chagall visite auparavant Alexandrie, Le Caire et les Pyramides. De Beyrouth, le voyage se poursuit par terre : Haïfa, Tel-Aviv, Jérusalem. L'artiste travaille quelque temps à Tel-Aviv, Jérusalem et, plus tard, à Safed.
Les cent cinq eaux-fortes pour *La Bible* ont été gravées pendant de longues années. De 1931 à la mort de Vollard, peu avant la guerre, Chagall acheva soixante-six planches. En 1939, trente-neuf planches étaient seulement commencées, Chagall se remit au travail en 1952. L'ouvrage fut achevé en 1956 et édité par les soins de Tériade.
A la fin de l'été, séjour dans le Dauphiné.
Publication de *Ma Vie*, chez Stock, dans la traduction française de Bella Chagall.

1932

Voyage en Hollande pour approfondir sa connaissance de l'œuvre de Rembrandt.

Passe l'automne à Cap-Ferret.

1933

Voyage en Italie, en Hollande et en Angleterre.
Se rend également en Espagne, où il est bouleversé par les événements politiques. Il étudie Rembrandt et le Greco.

Rétrospective au Musée de Bâle.
A Mannheim, les nazis font un autodafé d'œuvres de Chagall.

1934

Au mois d'août, nouveau voyage en Espagne.

1935

Voyage en Pologne pour l'inauguration de l'Institut français de Vilno.
Passe l'été avec sa famille à Vézelay.

1936

Occupe un nouvel atelier à Paris, près du Trocadéro, au n° 4 de la Villa Eugène-Manuel.
Passe l'été à Oye-et-Pallet dans le Jura.
Séjour l'hiver à Morzine, en Haute-Savoie, puis à Villars-Colmar, dans les Vosges, où il restera jusqu'au début de 1937.

1937

Au printemps, passe quelque temps à Villeneuve-lès-Avignon, puis part pour l'Italie.
En Toscane, exécute quinze gravures pour *La Bible*.
Visite la Galerie des Offices et le Palais Pitti à Florence.
Le régime nazi fait décrocher toutes les œuvres du peintre se trouvant dans les musées allemands.
Chagall prend la nationalité française.
Se fait de nouveaux amis: Jacques Maritain, Jules Supervielle, Marcel Arland, Eugène Dabit et René Schwob.

1938

Passe quelques mois, avec sa femme, à Villentroy dans l'Indre-et-Loire.
Exposition au Palais des Beaux-Arts de Bruxelles.

1939

Se réfugie avec sa famille, peu avant la déclaration de guerre, à Saint-Dye-sur-Loire. Il avait ramené, en taxi, de son atelier parisien, toutes ses toiles préalablement déclouées des châssis.
Obtient le prix de la Fondation Carnegie.

1940

En janvier, rapporte certaines œuvres à Paris pour une exposition organisée par Yvonne Zervos, à l'occasion de l'ouverture de la Galerie Mai.
Rencontre fréquemment Zervos et Picasso.
Jusqu'au printemps, travaille surtout à Saint-Dye.
Conseillé par André Lhote, décide de se replier au sud de la Loire. Chagall se rend avec sa femme, à Pâques, à Gordes, petit village provençal près du Lubéron.
Il achète, le 10 mai, jour de l'entrée des Allemands en Belgique, une ancienne école désaffectée dont les grandes salles pouvaient servir d'atelier. Chagall et Bella repartent en camion chercher les œuvres restées à Saint-Dye.
Ils passeront près d'un an à Gordes.

1941

A la fin de l'année 1940, Chagall reçoit la visite de Varian Fry (directeur de l'Emergency Rescrue Comittee) et de Harry Bingham (Consul général des Etats-Unis à Marseille) lui apportant une invitation à gagner les Etats-Unis adressée par le Musée d'Art moderne de New York.
Après de longues hésitations, Chagall se rend, avec sa famille, en avril à Marseille pour préparer son départ. Le 7 mai ils quittent Marseille pour se rendre à Lisbonne et prennent un bateau pour l'Amérique. Le 23 juin, date à laquelle l'Allemagne attaque la Russie, ils débarquent à New York.
Retrouve Léger, Bernanos, Masson, Maritain, Mondrian, André Breton. Rencontre Pierre Matisse qui devient son marchand, avant la consécration du Musée d'Art moderne de New York en 1946.

Novembre, exposition à la Galerie Pierre Matisse d'œuvres exécutées de 1910 à 1941: *La noce* (1910), *A la Russie, aux ânes et aux autres* (1911), *N'importe où hors du monde* (1916), *Le temps n'a pas de rive* (1930-1939), *Les mariés de la tour Eiffel* (1938).

1942

Au cours de l'été, fait un voyage à Mexico afin de réaliser les décors et les costumes du ballet Aleko, musique de Tchaïkovsky, sur le thème des *Tziganes* de Pouchkine. La chorégraphie fut confiée à Léonide Massine. Cette œuvre fut créée par le « Ballet Théâtre » au théâtre des « Belles Artes » à Mexico, avant d'être reprise à New York.

1943

Fait un séjour à Cransberry Lake.
La guerre déchirant l'Europe bouleverse Chagall.
Il exprime sa détresse dans de nombreuses œuvres dont *La guerre, L'obsession* et *La crucifixion jaune.*

1944

Peint une série de tableaux lors d'un deuxième séjour à Cransberry Lake.
Chagall et Bella pensaient retourner à New York pour le début septembre. Quelques jours avant, Bella tomba malade. Elle fut transportée d'urgence à l'hôpital local où, par manque de soins, elle mourut en trente-six heures.

Terrassé par le chagrin, Chagall restera, pendant près de dix mois, incapable de se remettre au travail.

1945

Au printemps, après un arrêt total, Chagall se remet à peindre. Il coupe en deux un grand tableau *Les arlequins* (dont il subsiste une esquisse) et repeint sur la partie gauche, en utilisant la composition existante, *Autour d'elle*. Il peint ensuite sur la partie droite de la toile primitive *Les lumières du mariage*.
Ces deux œuvres, après le tunnel qu'il vient de traverser, sont un émouvant hommage à la disparue.
Au cours de l'été, travaille à Krumville, au bord du lac Beaver, dans l'Ulster, puis à Sag Harbor (Long Island).

Marc Chagall et Ida devant la toile « Entre chien et loups », 1938-43

Réalise pour le compte des Ballet Theatre les décors et les costumes pour *L'Oiseau de Feu* de Stravinsky.
Cette œuvre fut reprise le 20 juillet au Coven Garden de Londres (avec une nouvelle chorégraphie de Balanchine) et au City Center de New York, le 24 octobre de la même année, Stravinsky dirigeant lui-même l'orchestre.

1946

Au cours de l'hiver 1945-1946, achète une petite maison à High-Falls, au nord-est de l'État de New York.
D'avril à juin le Musée d'Art moderne de New York, organise une grande rétrospective présentant plus de

quarante ans de peinture. Chagall pourtant est impatient de retrouver l'Europe ; en mai, il se rend à Paris pour un séjour de trois mois.

Regagne High-Falls en automne.

Il ne cessera dès lors de penser à son retour en France qui ne devait se réaliser qu'au cours de l'été 1948.

Exécute ses premières lithographies en couleurs pour l'illustration des *Mille et Une Nuits*.

1947

Voyage à Paris pour l'inauguration d'une exposition rétrospective organisée à l'occasion de la réouverture du Musée d'Art moderne, après l'occupation allemande.

Une série d'expositions rétrospectives commence à travers l'Europe : au Stedelijk Museum d'Amsterdam, à la Tate Gallery, puis au Kunsthaus de Zurich et à la Kunsthalle de Berne.

1948

Retour définitif en France. S'installe à Orgeval près de Saint-Germain-en-Laye.

Chagall fait la connaissance d'Aimé Maeght qui devient son marchand en France.

Une salle lui est réservée dans le Pavillon Français de la XXVe Biennale de Venise où il reçoit le grand prix de la gravure.

Parution des *Âmes mortes* par les soins de l'éditeur Tériade.

1949

De janvier à mai réside à Saint-Jean-Cap-Ferrat où il resserre ses liens d'amitié avec Tériade. Exécute des peintures murales pour le foyer du Watergate Theater de Londres.

Après un court séjour à Orgeval, retourne dans le Midi et séjourne dans le village de Saint-Jeannet. Achète une maison « Les Collines » située sur le coteau du « Baou des Blancs », à Vence.

Exécute ses premières céramiques d'abord chez Madame Bonneau, chez Serge Ramel à Antibes et surtout

chez Georges et Suzanne Ramie, aux ateliers Madoura à Vallauris.

Ce nouveau mode d'expression le conduira, naturellement, à aborder la sculpture.

1950

Au printemps s'installe définitivement à Vence et rencontre Henri Matisse et Picasso qui habitent respectivement Nice et Vallauris.

A partir de cette époque, Chagall, qui a conservé un appartement à Paris, fera annuellement plusieurs séjours dans la capitale où il consacre le plus souvent son temps à la gravure.

Exécute dans les ateliers de Fernand Mourlot sa première affiche lithographique à l'occasion d'une exposition à la Galerie Maeght. Par la suite, Chagall réalisera toutes ses lithographies dans cette imprimerie célèbre où il se liera d'amitié avec Charles Sorlier qui restera un de ses plus fidèles collaborateurs.

Exposition rétrospective au Kunsthaus de Munich.

1951

Voyage en Israël pour l'inauguration d'une exposition à Jérusalem.

Se rend à Haïfa et Tel-Aviv.

Au cours de l'été, fait un séjour à Gordes dans la maison où il avait vécu en 1940-1941, puis à Dramont, petite plage près de Saint-Raphaël.

1952

Fait la connaissance de Valentina (Vava) Brodsky qu'il épouse le 12 juillet à Clairefontaine, près de Rambouillet. Ce mariage devait donner un nouvel essor à l'artiste. A cette date, Chagall est, à juste titre, considéré comme un des plus grands peintres du vingtième siècle. A partir de cette époque, il commence sous l'impulsion de sa femme une nouvelle phase de sa carrière qui verra, entre autres, les admirables réalisations du Message Biblique, les grandes décorations, dont le plafond de l'Opéra de

Paris et les vitraux de la cathédrale de Reims et de Metz...
Il deviendra au cours des années à venir un des Maîtres incontestés de toute l'histoire de l'Art.
En juin, visite la cathédrale de Chartres pour étudier la conception et la technique des vitraux anciens.
L'éditeur Tériade demande à Chagall d'illustrer de lithographies originales en couleurs *Daphnis et Chloé* de Longus.
Au cours de l'été, accompagné de Vava, fait un voyage en Grèce. Ils visitent Delphes, Athènes et séjournent quelques temps dans l'île de Poros.
Voyage à Rome, Naples et Capri.
Publication des *Fables* de La Fontaine chez l'éditeur Tériade.

1953

Voyage à Turin pour l'inauguration d'une grande rétrospective au Palazzo Madama.
Premières gouaches préparatoires pour l'illustration de *Daphnis et Chloé*.

1954

Au cours de l'automne, accompagné de sa femme, fait un deuxième voyage en Grèce, d'abord à Poros, puis à Nauplie où ils restent quelques temps, visitent Olympie.
Voyage à Ravenne, Florence et surtout Venise où il revoit avec émotion des œuvres de Titien et de Tintoret.
Au cours de ce voyage, essaie de travailler le verre à Murano.

1955

Commence la suite des peintures du *Message Biblique* qu'il terminera en 1966 et qui prendront place dans le Musée national Message Biblique Marc Chagall à Nice, en 1973.

1956

Exposition à la Kunsthalle de Bâle et ensuite à Berne.
Publication de *La Bible*.

1957

Exposition rétrospective de l'œuvre gravé à la Bibliothèque nationale de Paris.
Exécute sa première mosaïque murale *Le coq bleu*.
Termine la décoration du baptistère de Notre-Dame-de-Toute-Grâce, sur le plateau d'Assy. Cet ensemble comporte deux bas-reliefs inspirés par les Psaumes, une céramique murale *Le passage de la mer Rouge* et deux autres vitraux qui sont les premiers exécutés par Chagall.
Pour bien souligner son refus de toutes limitations confessionnelles l'artiste a inscrit au bas de la céramique «Au nom de la Liberté de toutes les religions».
Commence à l'imprimerie Mourlot l'illustration de *Daphnis et Chloé* pour le compte de l'éditeur Tériade.

1958

Voyage en février à Chicago, où il prononce une conférence à l'Université de cette ville.
Fait la connaissance de Charles Marq, maître verrier, directeur des ateliers Jacques Simon à Reims, avec qui il se lie d'amitié. De cette féconde collaboration naîtront les plus beaux vitraux de l'Art contemporain.
«Je ne comprends pas l'abandon du vitrail, qui s'éveillait et s'endormait avec le jour... L'art a préféré la lumière. Mais le vitrail animé par le matin, effacé par le soir faisait pénétrer la Création dans l'église au fidèle... Le vitrail a fini par se soumettre à la peinture, en accueillant l'ombre dont il est mort. Pour inventer d'y dégrader l'intensité des couleurs, il a fallu Chagall: six cent cinquante ans.» André Malraux.
Travaille à des gouaches, au cours de l'automne, à Mies au bord du lac Léman.
Décors et costumes pour *Daphnis et Chloé* de Maurice Ravel, pour l'Opéra de Paris. Une préreprésentation eut lieu à La Monnaie de Bruxelles.
Maquettes des vitraux pour la cathédrale de Metz.

1959

Voyage à Glasgow où il est nommé Docteur Honoris causa de l'Université.

Marc Chagall, 1958-59

Élu membre d'honneur de l'Académie américaine des Arts et Lettres.
Rétrospective au Musée des Arts décoratifs, Palais du Louvre à Paris.
Vitraux de la deuxième fenêtre de l'abside nord de la cathédrale de Metz: *Moïse devant le buisson ardent, David et Bethsabée, Jérémie et l'exode du peuple juif.*

1960

Au début de l'année, travaille à des gouaches, à Sills Maria (Suisse). Maquette des vitraux pour la synagogue du «Medical Center Hadassah», à Jérusalem, sur le thème des douze Tribus d'Israël. Nommé Docteur Honoris causa à l'Université de Brandeis (États-Unis).
Reçoit, avec Kokoschka, le prix Erasme de la Fondation européenne de la Culture à Copenhague.
Première exposition de vitraux, destinés à la cathédrale de Metz, au Musée de Reims.
Peinture *La Commedia dell'Arte* destinée à la décoration du foyer du théâtre de Francfort (Allemagne).

1961

Exposition des vitraux *Les douze Tribus d'Israël* au Musée des Arts décoratifs à Paris.
Un bâtiment spécial avait été, temporairement, édifié dans la cour du Musée du Louvre pour accueillir ces œuvres.
Cette exposition fut transportée de novembre 1961 à janvier 1962 au Musée d'Art moderne de New York.

1962

Voyage en février à Jérusalem pour l'inauguration des vitraux *Les douze Tribus d'Israël.*
Exposition «Chagall et La Bible» au Musée Rath à Genève.
Vitrail de la première fenêtre de l'abside nord de la cathédrale de Metz: *Le sacrifice d'Abraham, La lutte de Jacob avec l'Ange, Le songe de Jacob, Moïse devant le buisson ardent.*

1963

Exposition rétrospective au National Museum de Tokyo et au National Museum de Kyoto.
Voyage à Washington.
Commence, sur l'invitation du Général de Gaulle et d'André Malraux, l'exécution de la maquette du nouveau plafond destiné à l'Opéra de Paris.
Vitrail de la fenêtre du transept nord, face est, de la cathédrale de Metz: *La création de l'homme, La création d'Ève, Ève et le serpent, Adam et Ève chassés du Paradis terrestre.*

1964

En mai, exposition des vitraux destinés à la cathédrale de Metz au Musée des Beaux-Arts de Rouen. Exécute un vitrail *Le Bon Samaritain,* à la mémoire de John D. Rockefeller Jr., pour la chapelle de Pocantico Hills, New York.
Voyage à New York à l'occasion de l'inauguration, le 17 septembre, du vitrail *La paix* en mémoire de Dag Hammarskjoeld au siège des Nations Unies.

1965

Nommé Docteur Honoris causa de l'Université de Notre-Dame (États-Unis).
Commence l'étude des costumes et décors pour *La Flûte enchantée* de Mozart, destinés au Metropolitan Opera de New York.

1966

Quitte Vence pour s'installer à Saint-Paul (Alpes-Maritimes).
Travaille aux deux grandes décorations murales destinées au Metropolitan Opera de New York *Les Sources de la Musique* et *Le Triomphe de la Musique.*
Exécute huit vitraux destinés à la chapelle de Pocantico Hills, à New York, sur le thème des «Prophètes».

Marc Chagall

1967

Inauguration du nouveau Metropolitan Opera de New York et première représentation de *La Flûte enchantée* de Mozart avec les décors et costumes de Chagall, le 19 février.

Pour son 80ᵉ anniversaire, exposition rétrospective à Zurich et à Cologne.

De juin à octobre, exposition du «Message Biblique,» donation de Marc et Vava Chagall, au Musée du Louvre, à Paris.

Hommage à Chagall, exposition organisée par la Fondation Maeght, à Saint-Paul.

Fait installer, dans son atelier méditerranéen, une presse grâce à laquelle il peut exécuter de nombreuses gravures sur cuivre et des monotypes tirés sur place par Jacques Frelaut.

Parution du *Cirque*, texte de Marc Chagall, illustré de trente-huit lithographies.

1968

Voyage à Washington.

A la demande de son ami Louis Trotabas, doyen de l'Université de Droit et Sciences économiques de Nice, réalise une grande mosaïque (trois mètres sur onze) sur le thème d'«Ulysse».

Vitraux pour le triforium du transept nord de la cathédrale de Metz.

1969

Pose de la première pierre du Musée national Message Biblique Marc Chagall à Nice.

Cet édifice réalisé grâce au Général de Gaulle et à Monsieur André Malraux, alors ministre des Affaires culturelles, est le seul Musée national consacré, en France, à un artiste vivant.

Voyage à Jérusalem pour l'inauguration, le 18 juin, du Nouveau Parlement de Jérusalem. Cet ensemble comporte des mosaïques de sol, une mosaïque murale *Le mur des lamentations* et trois grandes tapisseries avoisinant une surface globale de cent mètres carrés : *La prophétie d'Isaïe*, *L'exode* et *L'entrée à Jérusalem*.

La réalisation de ces trois tapisseries a été effectuée dans les ateliers de la Manufacture d'État des Gobelins, à Paris, de mars 1964 à la fin de l'année 1968.

De décembre 1969 à mars 1970, rétrospective «Hommage à Chagall» organisée dans les salles du Grand Palais à Paris.

Aimé Maeght avec Marc et Vava Chagall

1970

De janvier à mars, rétrospective de l'œuvre gravé à la Bibliothèque nationale de Paris.
Inauguration des vitraux de l'église du Fraumunster de Zurich.
Ensemble de cinq fenêtres : I. *Les prophètes Élie, Jérémie et Daniel,* II. *Le songe de Jacob,* III. *La madone, l'enfant et le sacrifice,* IV. *La Jérusalem céleste,* V. *Vision du prophète Isaïe sur la paix et la souffrance.*

1971

Se rend au printemps à Zurich.
Exposition de soixante lithographies au Museum der Bildenden Kunste.
Exécute une grande mosaïque murale destinée au Musée national Message Biblique à Nice : *Le char d'Élie.*

1972

Début de la réalisation d'une grande mosaïque, commandée par la First National City Bank, destinée à la décoration d'une place de Chicago : *Les quatre saisons.*

Exposition d'octobre à novembre, au Musée de Budapest.
Entreprend d'illustrer en lithographie *l'Odyssée* d'Homère pour les éditions F. Mourlot.
Cette réalisation lui demandera plus de trois années de travail.
Exécute les vitraux destinés à la salle de concerts du Musée national Message Biblique à Nice : *La création du monde.*

1973

Sur l'invitation de Jekaterina Furzewa, ministre de la Culture soviétique, se rend, en juin, accompagné de son épouse, à Moscou et Leningrad où il retrouve, cinquante ans après son départ, deux de ses sœurs. Au cours de ce voyage, Chagall refusa obstinément de se rendre à Vitebsk.

Exposition organisée par le gouvernement soviétique à la Tretjakow Galerie à Moscou.
Le 7 juillet, date de son anniversaire, inauguration du Musée national Message Biblique Marc Chagall en présence de son ami André Malraux.

1974

Exposition de la National Galerie de Berlin-Est.
Inauguration le 15 juin des vitraux destinés au chœur central de la cathédrale de Reims.
De juillet à septembre, exposition des «Maquettes pour l'œuvre monumental», au Musée national de Nice.
Se rend à Chicago, où il reçoit un accueil triomphal dans une ville pavoisée en son honneur, pour l'inauguration de la mosaïque *Les quatre saisons*. Cette mosaïque, constituée d'un bloc rectangulaire monumental de vingt-cinq mètres de long, cinq mètres de haut et quatre mètres de large, décoré sur toute la surface, se trouve sur la place Nationale de Chicago.
Exécute des gravures en couleurs pour l'illustration de *Celui qui dit les choses sans rien dire*, poèmes de Louis Aragon.

1975

De mars à septembre, travaille à l'illustration lithographique de *La Tempête* de William Shakespeare.
Exécute plusieurs grandes toiles : *La chute d'Icare, Don Quichotte, Job, Le retour de l'enfant prodigue*.
Maquette pour un vitrail destiné à la chapelle des Pénitents à Sarrebourg (France). Cette réalisation d'une dimension exceptionnelle (12 × 7,6 cm) a pour thème *La paix*.
Parution de *l'Odyssée* illustrée de quatre-vingt-deux lithographies originales.

1976

Inauguration d'une mosaïque à la chapelle Sainte-Roseline aux Arcs (Var).
Exécute des gravures sur cuivre destinées à l'illustration de textes d'André Malraux.
Se rend en septembre à Florence, où un autoportrait prend définitivement place au Musée des Offices.
Parution de *La Tempête* de Shakespeare par les soins de l'éditeur Raymond Lévy et de *Celui qui dit les choses sans rien dire* de Louis Aragon aux éditions Maeght.

1977

Est nommé Grand-Croix de la Légion d'honneur, le premier janvier, le grade le plus haut de cette distinction française. Cette décoration lui est remise par Monsieur le Président de la République française, au cours d'un déjeuner à l'Élysée.
Voyage en Italie.
Travaille aux maquettes des vitraux destinés à l'Art Institute de Chicago.
Le 9 juillet, exposition de peintures bibliques récentes au Musée national de Nice.
Le 17 octobre, inauguration par le Président de la République d'une exposition au Musée du Louvre.
Voyage en Israël où il est nommé membre d'honneur de la Ville de Jérusalem.
Parution de *Et sur la terre*, texte d'André Malraux, aux éditions Maeght.

Marc Chagall et André Malraux

1978

Juin, voyage en Italie pour assister au vernissage d'une exposition de ses œuvres, au Palais Pitti à Florence.
Septembre, inauguration des vitraux de l'église Saint-Étienne à Mayence.
Octobre, inauguration des vitraux de la cathédrale de Chichester (Angleterre).
Travaille à des gravures sur cuivre destinées à l'illustration des *Psaumes*.

1979

Exécute une deuxième série de vitraux pour l'église Saint-Étienne à Mayence.
Inauguration de vitraux réalisés pour l'Art Institute à Chicago.
Exposition de peintures (1975-1978) à la Galerie Pierre Matisse à New York.
Exposition des « Psaumes de David » à la Galerie Patrick Cramer à Genève.

1980

De janvier à juin, exposition des « Psaumes de David » au Musée national Message Biblique Marc Chagall à Nice.

Marc et Vava Chagall

Exposition de livres illustrés à la Galerie Patrick Cramer à Genève.
Exposition ('   peintures à la Galerie Pierre Matisse à New York.

1984

De juin à octobre, exposition des « Œuvres sur papier » au Musée national d'Art moderne à Paris.
De juillet à octobre, exposition des « Vitraux et sculptures : 1957-1984 » au Musée national Message Biblique Marc Chagall à Nice.

Biographie établie d'après Charles Sorlier.

Exécute la peinture d'un clavecin offert au Musée national Message Biblique Marc Chagall par l'artiste et son épouse et par l'American Friends of Chagall Biblical Message.
Exposition de gravures et de monotypes au Musée Rath et à la Galerie Patrick Cramer à Genève.

1981

Concert d'inauguration du clavecin offert au Musée national Message Biblique Marc Chagall.
Exposition rétrospective de gravures à la Galerie Matignon à Paris.
Inauguration d'une troisième série de vitraux à l'église Saint-Étienne à Mayence.
Exposition de lithographies à la Galerie Maeght à Paris.
Exposition de peintures récentes à la Galerie Maeght à Zurich.

1982

Achève les vitraux pour la chapelle du Saillant.
De septembre à décembre, exposition rétrospective au Moderna Museet à Stockholm.

Marc Chagall et sa petite-fille

Marc et Vava Chagall

Bibliographie sélective

Principaux écrits et déclarations de Marc Chagall

Chagall, Marc. *Ma vie*. Librairie Stock. Paris, 1931.

Quelques impressions sur la peinture française. Conférence prononcée à Mount Holyoke College. Renaissance, vol. II et III. Ecole Libre des Hautes Etudes de New York. New York, 1944-1945.

The work of the mind. Conférence prononcée à l'université de Chicago. The University of Chicago Press. Chicago, 1947.

Pourquoi sommes-nous devenus si anxieux ? Conférence prononcée pour l'université de Chicago. Bridges of Human Understanding. New York, 1964.

Schneider, Pierre. *Propos de Marc Chagall*. Les Dialogues du Louvre. Paris, 1967.

Chagall, Marc. *Le cirque*. Éditions Revue Verve. Paris, 1967.

Chagall, Marc. *Ma vie*. 3e éd. Librairie Stock. Paris, 1970.

Chagall, Marc. *Poèmes 1909-1972*. Éditions Cramer. Genève, 1975.

Principaux livres, revues et portefeuilles illustrés par Marc Chagall

Der Nister. *Tales*. Kletzkin. Vilno, 1917.

Peretz, J.L. *The magician*. Kletzkin. Vilno, 1917.

Soupault, Philippe. *Rose des vents*. Éditions Au Sans Pareil. Paris, 1920.

Hofstein, David. *Sadness*. Kulturliege. Moscou, 1922.

Cendrars, Blaise. *Moganni, Nameb*. Éditions Les Feuilles Libres. Paris, 1922.

Chagall, Marc. *Mein Leben*. Éditions Paul Cassirer. Berlin, 1923.

Goll, Claire et Yvan. *Poèmes d'amour*. Éditions Budry. Paris, 1925.

Arland, Marcel. *Maternité*. Éditions Au Sans Pareil. Paris, 1926.

Coquiot, Gustave. *En suivant la Seine*. Éditions André Delpeuch. Paris, 1926.

Goll, Claire. *Journal d'un cheval*. Éditions Budry. Paris, 1926.

Les Sept Péchés Capitaux. Éditions Simon Kra. Paris, 1926.

Arland, Marcel. *Étapes*. Éditions Nouvelle Revue Française. Paris, 1927.

Coquiot Gustave. *Suite provinciale*. Éditions André Delpeuch. Paris, 1927.

Morand, Paul. *Ouvert la nuit*. Éditions Nouvelle Revue Française. Paris, 1927.

Voronca, Ilarie. *Ulysse dans la cité*. Éditions du Sagittaire. Paris, 1927.

Salmon, André. *Chagall*. Éditions des Chroniques du Jour. Paris, 1928.

Fierens, Paul. *Marc Chagall*. Éditions de la Revue d'Art. Anvers, 1929.

Schwob, René. *Une mélodie silencieuse*. Éditions Bernard Grasset. Paris, 1929.

Lessin, A. *Œuvres complètes*. Éditions Formard. New York, 1930.

Reverdy, Pierre. *Pierres blanches*. Éditions A la Porte d'Aude. Carcassonne, 1930.

Chagall, Marc. *Ma vie*. Éditions Stock. Paris, 1931.

Schwob, René. *Chagall et l'âme juive*. Éditions A. Correa. Paris, 1932.

Cocteau, Jean, Ramo, Mac et Georges, Waldemar. *Maria Lami*. Éditions Quatre Chemins. Paris, 1932.

Opatoshu, Joseph. *Ein Tag in Regensburg*. Éditions Manino. New York, 1933.

Marc, Fernand. *Marc Chagall, poèmes*. Éditions Galerie Gravitations. Paris, 1934.

Goll, Yvan. *La chanson de Jean Sans Terre*. Éditions Poésie et Cie. Paris, 1936.

Walt, Lessin-Abraham. *Lieder und poemen*. Éditions Worwärts Association. New York, 1938.

Feffer, Itzik. *Roitarmeish*. Éditions The Icor Association. New York, 1943.

Feffer, Itzik. *Heimland*. Éditions The Icor Association. New York, 1943.

Chagall, Bella. *Brenendicke licht*. Éditions Book League of the Jewish People Fraternel Order I.W.O. New York, 1945.

Venturi, Lionello. *Marc Chagall*. Éditions Pierre Matisse. New York, 1945.

Éluard, Paul. *Le dur désir de durer*. Éditions Bordas. Paris, 1946.

Chagall, Bella. *Die ershte bagegenish*. Éditions Book League of the Jewish People Fraternel Order I.W.O. New York, 1947.

Chagall, Bella. *Lumières allumées*. Éditions Trois Collines. Genève, 1948.

Four tales from the arabian nights. Éditions Pantheon Books. New York, 1948.

Gogol, Nicolas. *Les Ames mortes*. Éditions Revue Verve. Paris, 1948.

Maritain, Raissa. *Chagall ou l'orage enchanté*. Éditions des Trois Collines. Genève, 1948.

Opatoshu, Joseph. *The last revolt*. Éditions Cyclo Bicher. New York, 1948.

Duell Sloan & Pears. *Igor Stravinsky*. Éditions Edwin Corle. New York, 1949.

Iliazd. *Poésie de mots inconnus*. Éditions Le Degré 41. Paris, 1949.

Calot, Frantz et Prévert, Jacques. *Conte de Boccace*. Éditions Revue Verve. Paris, 1950.

Chagall. Derrière le Miroir nº 27-28. Éditions Maeght. Paris, 1950.

Hutchinson, Collister. *Toward daybreack*. Éditions Harper & Brothers. New York, 1950.

Goll, Claire et Yvan. *Dix mille aubes*. Éditions Falaise. Paris, 1951.

Bachelard, Gaston. *La lumière des origines*. Derrière le Miroir, nº 44-45. Éditions Maeght. Páris, 1952.

La Fontaine, Jean de. *Fables*. Éditions Revue Verve. Paris, 1952.

Visions de Paris. Éditions Revue Verve. Paris, 1952.

Suzkever, Abraham. *Sibir*. Éditions Mussad Bialik. Jérusalem, 1953.

Arland, Marcel et Venturi, Lionello. *Marc Chagall*. Derrière le Miroir nº 66-68. Éditions Maeght. Paris, 1954.

Demarne, Pierre. *Pure peine perdue*. Éditions de Minuit. Paris, 1955.

Vivaner, Chemyd. *Anthology of jewish music*. Éditions Edward B. Marks Music Corporation. New York, 1955.

La Bible. Éditions Revue Verve. Paris, 1956.

Éluard, Paul. *Un poème dans chaque livre*. Éditions Louis Broder. Paris, 1956.

Majorik, Bernard. *De klokken van Chagall*. Éditions Steendrukkerj de Jong & Co. Hilversum, 1956.

Voronca, Ilarie. *Poèmes choisis*. Éditions Pierre Seghers. Paris, 1956.

Paulhan, Jean. *Chagall à sa juste place*. Derrière le Miroir nº 99-100. Éditions Maeght. Paris, 1957.

Cassou, Jean. *Marc Chagall couleur amour*. Éditions Au Vent d'Arles. Paris, 1958.

Sur quatre murs. Derrière le Miroir nº 107-109. Éditions Maeght. Paris, 1958.

Paulhan, Jean. *De mauvais sujets*. Éditions Les Bibliophiles de l'Union Française. Paris, 1958.

Bauer, Gérard. *Regards sur Paris*. Éditions André Sauret. Monte-Carlo, 1960.

Poètes, peintres, sculpteurs. Derrière le Miroir n° 119. Éditions Maeght. Paris, 1960.

Catalogue des Éditions Maeght. Derrière le Miroir n° 120-121. Éditions Maeght. Paris, 1960.

Longus. *Daphnis et Chloé*. Éditions Revue Verve. Paris, 1961.

Aragon, Louis. *Paroles peintes I*. Éditions O. Lazar-Vernet. Paris, 1962.

Bonnefoy, Yves. *La religion de Chagall*. Derrière le Miroir n° 132. Éditions Maeght. Paris, 1962.

Zumsteg, Gustav. *Kronenhalle 1962*. Éditions Buchdruckerei N. Zurich, 1962.

Arland, Marcel. *Avec Chagall*. Derrière le Miroir n° 147. Éditions Maeght. Paris, 1964.

Cain, Julien. *Douze maquettes pour les vitraux de Jérusalem*. Éditions A.C. Mazo. Paris, 1964.

The story of the exodus. Éditions Léon Amiel. New York, 1966.

XXᵉ Siècle: quatre thèmes. XXᵉ Siècle n° 26. Éditions XXᵉ Siècle. Paris, 1966.

Adhémar, Jean. *Nice et la Côte d'Azur*. Éditions Fernand Mourlot. Paris, 1967.

Chagall, Marc. *Le Cirque*. Éditions Revue Verve. Paris, 1967.

Marteau, Robert. *Sur la terre des dieux*. Éditions A.C. Mazo. Paris, 1967.

XXᵉ Siècle: vers un nouvel humanisme. XXᵉ Siècle n° 29. Éditions XXᵉ Siècle. Paris, 1967.

Chagall, Marc. *Poèmes*. Éditions Cramer. Genève, 1968.

Esteban, Claude et Frénaud, André. *Marc Chagall*. Derrière le Miroir n° 182. Éditions Maeght. Paris, 1969.

Senghor, Léopold S. *Elégie des alizés*. Éditions du Seuil. Paris, 1969.

Triolet, Elsa. *La mise en mot*. Éditions Skira. Genève, 1969.

Ficowski, Jerzy. *Lettre à Marc Chagall*. Éditions Adrien Maeght. Paris, 1970.

Malraux, André. *Antimémoires*. Éditions Gallimard. Paris, 1970.

XXᵉ Siècle: panorama 70. XXᵉ Siècle n° 34. Éditions XXᵉ Siècle. Paris, 1970.

Aragon, Louis. *Chagall l'admirable*. Derrière le Miroir n° 198. Éditions Maeght. Paris, 1972.

Bourniquel, Camille. *La féerie et le royaume*. Éditions Fernand Mourlot. Paris, 1973.

Chagall, Bella. *Lumières allumées*. Éditions Gallimard. Paris, 1973.

Homère. *L'Odyssée*. Éditions Fernand Mourlot. Paris, 1975.

Pompidou, Georges. *La Poésie*. Éditions Association de Bibliophiles d'Art et de Poésie. Paris, 1975.

Shakespeare, William. *The Tempest*. Éditions André Sauret. Monte-Carlo, 1975.

Aragon, Louis. *Celui qui dit les choses sans rien dire*. Éditions Maeght. Paris, 1976.

Marteau, Robert. *Les ateliers de Chagall*. Éditions Fernand Mourlot. Paris, 1976.

Malraux, André. *Et sur la terre*. Éditions Maeght. Paris, 1977.

Principales monographies

Apollonio, Umbro. *Chagall*. Éditions Alfieri. Milan, 1949.

Schmalenbach, Werner. *Chagall*. The Uffici Press. Milan, 1954.

Lassaigne, Jacques. *Marc Chagall*. Éditions Maeght. Paris, 1957.

Mathey, François. *Marc Chagall*. Éditions Somogy. Paris, 1959.

Damase, Jacques. *Chagall*. Éditions Marabout Université. Paris, 1963.

Meyer Franz. *Marc Chagall*. Éditions Flammarion. Paris, 1964.

Parinaud, André. *Chagall*. Éditions Bordas. Paris, 1966.

Cogniat, André. *Chagall*. Éditions Flammarion. Paris, 1968.

Lassaigne, Jacques. *Chagall: dessins inédits*. Éditions Skira. Genève, 1968.

Bidermanas, Izis et McCullen, Roy. *Le monde de Marc Chagall*. Éditions Gallimard. Paris, 1969.

Hommage à Marc Chagall. Numéro spécial de la revue XXe Siècle. Éditions XXe Siècle. Paris, 1969.

Bucci, Mario. *Marc Chagall*. Éditions Sansoni. Florence, 1970.

Haftmann, Werner. *Marc Chagall*. Éditions DuMont Schauberg. Cologne, 1972.

Malraux, André et Sorlier, Charles. *Céramiques et sculptures*. Éditions André Sauret. Monte-Carlo, 1972.

Chagall monumental. Numéro spécial de la revue XXe siècle. Éditions XXe Siècle. Paris, 1973.

Mandiargues, André Pieyre de. *Chagall*. Éditions Maeght. Paris, 1974.

Marcq, Charles et Provoyeur, Pierre. *Catalogue de l'œuvre monumental*. Éditions de la Réunion des Musées Nationaux. Paris, 1974.

Haftmann, Werner. *Chagall*. Éditions Le Chèvre. Paris, 1975.

Alexander, Sidney. *Marc Chagall: a biography*. Éditions G.P. Putnam's Sons. New York, 1978.

Schmalenbach, Werner et Sorlier, Charles. *Marc Chagall*. Éditions Draeger. Paris, 1979.

Haftmann, Werner. *Marc Chagall*. Éditions Cercle d'Art. Paris, 1983.

Verdet, André et Wyman, Bill. *Chagall méditerranéen*. Éditions Daniel Lelong. Paris, 1983.

Ouvrages consacrés à l'œuvre gravé

Cain, Julien, Mourlot, Fernand et Sorlier, Charles. *Chagall lithographe: 1927-1973*. 4 vol. Éditions André Sauret. Monte-Carlo, 1957-1973.

Meyer, Franz. *Marc Chagall: l'œuvre gravé*. Éditions Gerd Hatje. Stuttgart, 1957.

Kornfeld, E.W. *Chagall: cuivres et bois gravés*. Éditions Kornfeld und Klipstein. Berne, 1970.

Adhémar, Jean, Senghor, Léopold S. et Sorlier, Charles. *Les affiches de Marc Chagall*. Éditions Draeger. Paris, 1975.

Leymarie, Jean. *Marc Chagall: monotypes 1961-1975*. 2 vol. Éditions Cramer. Genève, 1966-1976.

Chagall, Marc, Malraux, André, Marteau, Robert et Sorlier, Charles. *Marc Chagall et Ambroise Vollard*. Éditions Galerie Matignon. Paris, 1981.

Ouvrages consacrés aux œuvres pour le théâtre

Aragon, Louis et Lassaigne, Jacques. *Le plafond de l'Opéra de Paris*. Éditions André Sauret. Monte-Carlo, 1965.

Lassaigne, Jacques. *Marc Chagall: dessins et aquarelles pour le ballet*. Éditions XXe Siècle. Paris, 1969.

Genauer, Emily. *Chagall at the met*. Éditions Metropolitan Opera Association Inc. & Tudor Publishing Company. New York, 1971.

Ouvrages consacrés au vitrail

Leymarie, Jean. *Marc Chagall: vitraux pour Jérusalem*. Éditions André Sauret. Monte-Carlo, 1969.

Vogelsänger de Roche, Irmgard. *Marc Chagall: vitraux pour Zurich*. Éditions Orell Fussli. Zurich, 1971.

Marq, Charles et Marteau, Robert. *Les vitraux de Chagall 1957-1970*. Éditions A.C. Mazo. Paris, 1972.

Ouvrages consacrés au Message Biblique

Schapiro, Meyer et Wahl, Jean. *La Bible*. Éditions Revue Verve. Paris, 1956.

Bachelard, Gaston. *Dessins pour la Bible*. Éditions Revue Verve. Paris, 1960.

Bachelard, Gaston, Chatelain, Jean, Marteau, Robert et Schapiro, Meyer. *Le Message Biblique*. Éditions Fernand Mourlot. Paris, 1972.

Leymarie, Jean. *Catalogue du Musée national Message Biblique Marc Chagall*. Éditions de la Réunion des Musées Nationaux. Paris, 1973.

Amisha-Maisels, Ziva et Yeshayahu, Israel. *Marc Chagall at the Knesset*. Éditions Tudor Company. New York, 1973.

Provoyeur, Pierre. *Chagall, le Message Biblique*. Éditions Cercle d'Art. Paris, 1983.

Œuvres exposées

Marc Chagall à l'Institution Malakhorva, Moscou 1919

1

La kermesse
1908
Huile sur toile
68 × 95 cm
Pierre Matisse Gallery, New York

2

Autoportrait aux pinceaux
1909
Huile sur toile
57 × 48 cm
Kunstsammlung Nordrhein-Westfalen,
Düsseldorf

3

La chambre jaune
1911
Huile sur toile
84 × 112 cm
Collection particulière, Liechtenstein

4

Le violoniste
1911
Huile sur toile
94,5 × 69,5 cm
Kunstsammlung Nordrhein-Westfalen,
Düsseldorf

5

La naissance
1911
Huile sur toile
46 × 36 cm
Collection Ida Chagall

6

Nature morte
1911
Huile sur toile
63 × 78 cm
Collection M. et Mme Eric E. Estorick

7

La fiancée à l'éventail
1911
Huile sur toile
46 × 38 cm
Collection Pierre Matisse, New York

8

Le poète ou **Half Past Three**
1911
Huile sur toile
196 × 145 cm
Philadelphia Museum of Art, the Louise
and Walter Arensberg Collection

9

A la Russie, aux ânes et aux autres
1911-12
Huile sur toile
156 × 122 cm
Musée national d'Art moderne,
Centre Georges Pompidou

10

Hommage à Apollinaire
1911-12
Huile sur toile
209 × 198 cm
Van Abbemuseum, Eindhoven

11

Le poète Mazin
1911-12
Huile sur toile
73 × 54 cm
Collection particulière, Paris

12

Le soldat boit
1912
Huile sur toile
110,3 × 95 cm
The Solomon R. Guggenheim Museum,
New York

13
L'autoportrait aux sept doigts
1912-13
Huile sur toile
126 × 107 cm
Dienst Verspreide Rikjskollekties,
La Haye, en prêt au Stedelijk Museum,
Amsterdam

14
Au-dessus de Vitebsk
1914
Huile sur carton rentoilé
73 × 92,5 cm
Art Gallery of Ontario, Toronto, don de
Sam et Ayala Zacks, 1970

15
Le marchand de journaux
1914
Huile sur toile
98 × 78,5 cm
Collection particulière, Paris

16
Acrobate
1914
Huile sur carton
42 × 32,5 cm
Albright-Knox Art Gallery, Buffalo
Room of Contemporary Art Fund, 1941

17
Jour de fête (Le rabbin au citron)
1914
Huile sur carton
100 × 80,5 cm
Kunstsammlung Nordrhein-Westfalen,
Düsseldorf

18
Le père
1914
Huile sur papier
50 × 37 cm
Musée d'Etat Russe, Leningrad

19
Portrait d'un juif en rose
1914-15
Huile sur toile
100 × 81 cm
Musée d'Etat Russe, Leningrad

20
N'importe où hors du monde
1915
Huile sur carton
56 × 45 cm
Collection particulière, Suisse

21
Le poète allongé
1915
Huile sur carton
77 × 77,5 cm
The Trustees of the Tate Gallery, Londres

22
Intérieur aux fleurs
1917
Huile sur carton
46,5 × 61 cm
Musée d'Etat Russe, Leningrad

23
Intérieur à la datcha
1917
Huile sur carton
46,5 × 61 cm
Musée d'Etat Russe, Leningrad

24
Les portes du cimetière
1917
Huile sur toile
87 × 68,5 cm
Collection particulière, Paris

25
Bella au col blanc
1917
Huile sur toile
149 × 72 cm
Collection de l'artiste

26
Le violoniste vert
1918
Huile sur toile
195,6 × 108 cm
The Solomon R. Guggenheim Museum,
New York
Don de Solomon R. Guggenheim, 1937

Atelier de Marc Chagall

27
Paysage cubiste
1918
Huile sur toile
100 × 59 cm
Collection particulière, Paris

28
La maison bleue
1920
Huile sur toile
66 × 97 cm
Musée d'Art moderne, Liège

29
Au-dessus de la ville
ca 1924
Huile sur toile
67,5 × 91 cm
Galerie Beyeler, Bâle

30
La fenêtre sur l'île de Bréhat
1924
Huile sur toile
100,5 × 73,5 cm
Kunsthaus, Zurich
Don de Monsieur G. Zumsteg à la
Vereinigung Zürcher Kunstfreunde

31
Les amoureux aux lys
1922-25
116,3 × 89,3 cm
Collection Evelyn Sharp

32
Vie paysanne
1925
Huile sur toile
100 × 81 cm
Albright-Knox Art Gallery, Buffalo
Room of Contemporary Art Fund, 1941

33
Moi et le village
1923-26
Huile sur toile
50,8 × 45,7 cm
Philadelphia Museum of Art
Don de M. et Mme Rodolphe de
Schavensee

34
Pivoines et lilas
1926
Huile sur toile
100 × 80 cm
Perls Galleries, New York

35
Les chrysanthèmes
1926
Huile sur toile
92 × 72 cm
Perls Galleries, New York

36
Le rêve
1927
Huile sur toile
81 × 100 cm
Musée d'Art moderne de la Ville de Paris

37
Le coq
1929
Huile sur toile
81 × 65 cm
Collection Thyssen-Bornemisza, Lugano

38
Nature morte à la fenêtre
1929
Huile sur toile
100 × 81 cm
Göteborgs Konstmuseum, Göteborg

39
Solitude
1933
Huile sur toile
102 × 169 cm
The Tel Aviv Museum

40
La révolution
1937
Huile sur toile
50 × 100 cm
Collection de l'artiste

41
Le songe d'une nuit d'été
1939
Huile sur toile
117 × 89 cm
Musée de Peinture, Grenoble

42
Le martyr
1940
Huile sur toile
164,5 × 114 cm
Kunsthaus, Zurich
Don de Electrowatt SA, Zurich

43
La madone du village
1938-42
Huile sur toile
102 × 98 cm
Collection Thyssen-Bornemisza, Lugano

44
Entre chien et loup
1938-43
Huile sur toile
100 × 73 cm
Collection Ida Chagall

45
Le jongleur
1943
Huile sur toile
109 × 79 cm
The Art Institute, Chicago
Don de Madame Gilbert Chapman

46
L'attelage volant
1945
Huile sur toile
130 × 70 cm
Collection Famille Abrams, New York

47
Autour d'elle
1945
Huile sur toile
130,9 × 109,7 cm
Musée national d'Art moderne,
Centre Georges Pompidou

48
L'âme de la ville
1945
Huile sur toile
107 × 81,5 cm
Musée national d'Art moderne,
Centre Georges Pompidou

49
La madone au traîneau
1947
Huile sur toile
97 × 80 cm
Stedelijk Museum, Amsterdam

50
L'arbre de vie
1948
Huile sur toile
97 × 80 cm
Collection particulière

51
La pendule à l'aile bleue
1949
Huile sur toile
92 × 79 cm
Collection Ida Chagall

52
Un monde rouge et noir
1951
Gouache sur papier
213 × 165 cm
Stedelijk Museum, Amsterdam
Prêt de l'artiste

53

Dimanche

1952-54
Huile sur toile
173 × 149 cm
Collection de l'artiste

54

La fenêtre blanche

1955
Huile sur toile
150 × 120 cm
Oeffentliche Kunstsammlung,
Kunstmuseum, Bâle

55

Les glaïeuls

1955-56
Huile sur toile
130 × 97 cm
Collection Gustav Zumsteg, Zurich

56

A Paul Gauguin

1956
Huile sur toile
119 × 152 cm
Collection particulière

57

Roses et mimosa

1956
Huile sur toile
145 × 113 cm
Collection Evelyn Sharp

58

Le concert

1957
Huile sur toile
140 × 239,5 cm
Collection Evelyn Sharp

59

Bethsabée

1962-63
Huile sur toile
180 × 96 cm
Collection particulière

Marc Chagall peignant « La Vie »

60

David

1962-63
Huile sur toile
180 × 98 cm
Collection particulière

61

La vie

1964
Huile sur toile
296 × 406 cm
Fondation Maeght, Saint-Paul

62

L'exode

1952-66
Huile sur toile
130 × 162 cm
Collection de l'artiste

63

La guerre

1964-66
Huile sur toile
163 × 231 cm
Kunsthaus, Zurich
Vereinigung Zürcher Kunstfreunde

64

Portrait de Vava

1966
Huile sur toile
92 × 65 cm
Collection de l'artiste

65

Les paysans de Vence

1967
Huile sur toile
111 × 82 cm
Collection particulière

*Marc Chagall devant la mosaïque
de la Fondation Maeght*

66
Les oiseaux dans la nuit
1967
Huile sur toile
81 × 116 cm
Collection particulière

67
Le grand cirque
1968
Huile sur toile
170 × 160 cm
Pierre Matisse Gallery, New York

68
Les comédiens
1968
Huile sur toile
150 × 160 cm
Collection particulière, Suisse

69
Devant le tableau
1968-71
Huile sur toile
116 × 89 cm
Fondation Maeght, Saint-Paul

70
L'envol
1968-71
Huile sur toile
125 × 90 cm
Collection particulière

71
La promenade
1973
Huile sur toile
115,5 × 81 cm
Pierre Matisse Gallery, New York

72
Le repos
1975
Huile sur toile
119 × 92 cm
Collection M. et Mme Pierre Matisse,
New York

73
Don Quichotte
1975
Huile sur toile
196 × 130 cm
Collection de l'artiste

74
La chute d'Icare
1975
Huile sur toile
214 × 199 cm
Musée national d'Art moderne,
Centre Georges Pompidou

75
Le grand cirque gris
1975
Huile sur toile
140 × 120 cm
Pierre Matisse Gallery, New York

76
Le mythe d'Orphée
1977
Huile sur toile
97 × 146 cm
Collection de l'artiste

77
Paysage de Paris
1978
Huile sur toile
130 × 162 cm
Collection particulière

78
L'événement
1978
Huile sur toile
130 × 162 cm
Collection particulière

79
Les musiciens
1979
Huile sur toile
89 × 115 cm
Pierre Matisse Gallery, New York

80
La grande parade
1979-80
Huile sur toile
119 × 132 cm
Pierre Matisse Gallery, New York

81
Couple sur fond rouge
1983
Huile sur toile
81 × 65,5 cm
Collection de l'artiste

82
Dos à dos
1984
Huile sur toile
130 × 89 cm
Collection de l'artiste

83
Le songe
1984
Huile sur toile
116 × 89 cm
Collection de l'artiste

Additif

84
L'apparition
1917
Huile sur toile
157 × 140 cm
Ministère de la Culture Russe, Leningrad

Livres

Louis Aragon

Celui qui dit les choses sans rien dire

15 eaux-fortes en couleurs
180 exemplaires sur Rives dont 25 avec
suite sur Japon
Fequet et Baudier, Lacourière et Frélaut
imprimeurs
Maeght Editeur. Paris 1977

André Malraux

Et sur la terre

15 eaux-fortes en noir
205 exemplaires sur Rives dont 25 avec
une épreuve supplémentaire du
frontispice sur Japon
Fequet et Baudier, Lacourière et Frélaut
imprimeurs
Maeght Editeur. Paris 1977

Nous exprimons notre profonde gratitude à Monsieur et Madame Marc Chagall pour avoir soutenu et encouragé ce projet d'exposition et l'avoir suivi avec intérêt pendant sa préparation

Nous remercions tout particulièrement Madame Ida Chagall de son aide constante et les musées et collectionneurs qui ont bien voulu nous confier leurs œuvres :

M. Félix Baumann
Directeur du Kunsthaus, Zurich

M. Alan Bowness
Directeur de la Tate Gallery, Londres

M. Björn Fredlund
Directeur du Göteborgs Konstmuseum, Göteborg

M. Christian Gelhaar
Directeur du Kunstmuseum, Bâle

Mme Anne d'Harnoncourt
Directeur du Philadelphia Museum of Art, Philadelphie

M. Piet de Jonge
Conservateur du Van Abbemuseum, Eindhoven

M. Thomas Messer
Directeur du Solomon R. Guggenheim Museum, New York

M. Simon de Pury
Conservateur de la Collection Thyssen-Bornemisza, Lugano

M. Marc Scheps
Directeur du Tel Aviv Museum

M. Werner Schmalenbach
Directeur de la Kunstsammlung Nordrhein-Westfalen, Düsseldorf

M. Douglas G. Schultz
Directeur de l'Albright-Knox Art Gallery, Buffalo

Mme Spehl-Robeyns
Conservateur du Musée d'Art moderne, Liège

M. A. James Speyer
Conservateur des peintures et sculptures du XXᵉ siècle
The Art Institute, Chicago

M.E.E.L. de Wilde
Directeur du Stedelijk Museum, Amsterdam

M. William J. Withrow
Directeur de l'Art Gallery of Ontario, Toronto

M. Dominique Bozo
Directeur du Musée national d'Art moderne,
Centre Georges Pompidou, Paris

Mlle Bernadette Contensou
Conservateur en chef du Musée d'Art moderne de la Ville de Paris

M. Pierre Gaudibert
Conservateur en chef du Musée de Peinture, Grenoble

M. Germain Viatte
Conservateur du Musée national d'Art moderne,
Centre Georges Pompidou, Paris

La Galerie d'Etat Tretiakoff, Moscou

Le Musée d'Etat russe, Leningrad

M. et Mme Robert E. Abrams, New York

M. Ernst Beyeler, Bâle

M. et Mme Eric E. Estorick, Londres

M. et Mme Pierre Matisse, New York

M. Konstantin Mozel
Conseiller culturel à l'Ambassade de l'U.R.S.S., Paris

M. Valery Rounov
Attaché des Beaux-Arts à l'Ambassade de l'U.R.S.S., Paris

M. Klaus G. Perls, New York

Mme Evelyn Sharp, New York

M. Gustave Zumsteg, Zurich

et tous les prêteurs qui ont préféré conserver l'anonymat.

Crédits photographiques

Kurt Blum
Bulloz
Loomis Dean
Draeger
Walter Drayer
Claude Gaspari
David Heal
Hinz-Allschwill
I.f.o.t.
Izis
Life
Robert G. Mates
Herbert Michel
Michel Nguyen
Larry Ostrom
Eric Pollitzer
Sixten Sandell
Bill Wyman

et les prêteurs

Adrien Maeght
Président de la Fondation Maeght

Exposition et catalogue réalisés par
Jean-Louis Prat
Vice-président directeur de la Fondation Maeght

Documentation et secrétariat :
Danièle Bourgois,
Marie-Christine de Jenken, Annette Pioud, Colette Robin

Maquette :
Jean-Pierre Vespérini

Composition :
L'Union Linotypiste

Photogravure couleur et noire :
Clair Offset

Photogravure noire :
Haudressy

Achevé d'imprimer à Paris le 29 juin 1984
par la Société nouvelle de l'Imprimerie moderne du Lion